廣告拜物教

Adver ising

李欣頻　著

目次

作者簡介 004

舊版他序之一
陳義芝（作家、前聯合副刊主編）
才氣縱橫、無法類比的作家 008

舊版他序之二
詹偉雄（前《數位時代》總主筆）
抒情的游擊隊式文集 010

舊版他序之三
羅文嘉（水牛出版社社長）
閱讀敗物教，你將會更加了解敗物教 012

舊版自序
偶然與巧合的十年廣告機遇 014

A【黑色廣告文集】 016

手機通訊類
手機人類學 018
兩難生命線 022

電腦網路類
愛情復仇記 026
網路自溺事件 030
電子商務近視症 034

家電用品類
沈默是金的答錄機 038
混色洗衣機 042
數位貞操帶 046

交通工具類
摩登叢林：新野蠻法則 050
嗜機如命的狂熱份子 054

生活享樂類
黑色司迪麥 060
價值百億的鑽石之戀 064
延償報應的信用卡 068
世紀末・廣告警世錄 072

【流行百科辭典】

B【流行百科辭典】 076
愛情篇 078
時間篇 086
上癮篇 092
風潮篇 096
健康篇 100
廣告商人九大罪獄 104
廣告文集一年後的快樂告別式 108

【虛擬商品・夢幻圖鑑】

C【虛擬商品・夢幻圖鑑】 110
可以看得見前世今生的電視機 114
可以收到別人心事的隨身聽 118
可以和去世的人通話的手機 122
迅速吸除病痛的吸塵器 126
大徹大悟的人生眼鏡 130
一筆勾銷的毀約掃描器 134
縮小備份的財產提包 138
會魔法的信用卡 142
星際旅行社 146

作者簡介

李欣頻

政大廣告系畢業，政大廣告研究所碩士，北京大學新聞與傳播學院博士，曾任教於北京大學新聞與傳播學院，擔任《廣告策劃與創意》課程講師，並曾於北京中醫藥大學修習半年。並為收視率達三億之大陸旅遊衛視頻道《創意生活：土耳其、臺灣》特約外景主持人。

有著作家詩人的孤僻性格＋靈修者洞察深處的眼睛＋旅行者停不下來的身體＋廣告人的纖細敏感與美學癖＋知識佈道家想要世界更好的狂熱＋教育者捨我其誰的使命感。

曾任意識形態廣告公司文案、誠品書店特約文案。宏碁數位藝術中心特約文案創意。

台灣廣告作品

中興百貨、遠東百貨、誠品書店、誠品商場、宏碁數位藝術中心、富邦藝術基金會、台新銀行玫瑰卡、臺北藝術節、鶯歌陶瓷博物館、加利利旅行社、臺北市都市發展局、新聞處、統一企業集團形象廣告、飲冰室茶集、雅虎奇摩網路劇、台灣大哥大簡訊文學獎、公共電視形象廣告案……等。

大陸廣告作品

現代傳播集團《周末畫報》、《優家》、《iweekly》形象廣告案，西安音樂廳、汕頭大學圖書館、CA BRIDA、北京海文機構、上海大悅城開幕廣告等。

專欄

曾為聯合報、自由時報、廣告雜誌、香港ZIP雜誌、皇冠雜誌、TVBS週刊、ELLE雜誌、MEN'S UNO雜誌、大陸北京晚報、中國圖書商報、費加洛雜誌、女友、廣告大觀、城市畫報、嘉人雜誌、時尚健康、優家、職場……等之專欄作家。

任教資歷

台灣科技大學、中原大學、臺北大學、青輔會、成功大學、學學文創、誠品信義講堂、北京大學新聞與傳播學院……關於廣告、創意、創作、出版課程之講師。

台灣：太平洋SOGO、新光三越、AVEDA、衛生署中醫藥委員會、聯電、旺宏電子、德州儀器、統一企業、東森得意購、宏碁、民視、NOVA、康健雜誌、南山人壽、國家音樂廳、國家戲劇院、富邦講堂、誠品書店、數位學院、幼獅文藝寫作班、臺北市立圖書館、桃園巨蛋體育場、文建會公民美學講座、摩根富林明、十大傑出青年基金會、動腦講座、中國生產力中心、數位時代創意實踐講堂、北美館（台灣生活創意座談：誰來寫台灣設計品牌）、當代藝術館、臺北電影節、台灣大哥大、芝普、國貿學院經管策略管理將帥班……以及台大、政大等數十所大專院校之邀，公開對外演講或是公司員工內訓。

海外：獲邀至馬來西亞華人書展、新加坡、香港等地演講，中國書刊發行業協會主辦的書業觀察論壇、上海書城、上海圖書館、北京大學國際時尚管理高級研修班、北京聯合大學、北京民族大學、美國協和大學MBA中國中心、以及第二屆中國國際文化創意產業博覽會、北京798之AH創意沙龍、廈門32 SHOW創意院落、上海十樂、廣州城市畫報主辦之創意講堂、深圳人民大會堂、湘潭大講堂……等大陸各地講堂或創意產業園區中演講，並為中國第一娛樂互動門戶：貓撲網、招商銀行、淘寶網、中國電信、藍光、江蘇電視台、湖南衛視……進行企業培訓。

評審資歷

曾任北京青年週報換享創意競賽評審、二〇〇八年廣州日報盃華文報紙優秀廣告獎的決賽評審、全球最大學生創意競賽金犢獎決選評審、FRF「時尚拒絕皮草」藝術設計大獎決選評審、二〇〇九臺北電影獎媒體推薦獎評審、連續五屆台灣廣告流行語金句獎評審、二〇〇九年臺北電影節媒體推薦獎評審、誠品文案獎評審、南瀛獎動畫類評審、董氏基金會大學築夢計劃決選評審、中國時報文彩青年版指導作家、TWNIC第五屆網頁設計大賽決選評審委員、救國團「創意與創業全國」座談會與談人、金鐘獎評審委員。北京青年周報換享創意競賽評審、二〇〇八廣州日報杯華文報紙優秀廣告獎的決賽評審、全球最大學生創意競賽金犢獎決選評審。

廣告代言

SKII、香奈兒彩妝、PUMA旅行箱、Levis牛仔褲、NIKE、Aêsop馬拉喀什香水、OLAY、匯源果汁、三星手機等。並與《可可西里》導演陸川、大陸知名歌手郝菲爾共同獲選為二〇〇八年度Intel迅馳風尚大使。

散文作品被收錄於〈中華現代文學大系〉散文卷。文案作品被選入《台灣當代女性文選》。二〇〇九年金石堂書展選為不可錯過的八位作家之一。二〇一〇年統一企業主辦網路票選年輕人心目中最喜歡的十大作家之一。

二〇〇四年數位時代雜誌選為台灣百大創意人之一。天下遠見文化事業群之《30雜誌》二〇〇六年九月號，選為創意達人之一。二〇〇九年入選大陸年度時尚人物創意家。入圍二〇一三年中國作家富豪榜，同年獲得COSMO年度女性夢想大獎、講義雜誌年度最佳旅遊作家獎。

接受過兩岸各大媒體專訪，台灣：中國時報、聯合報、自由時報、蘋果日報、中天電視台、中視、民視、超視、飛碟電台、遠見雜誌等。大陸：新浪網、搜狐網、中國廣播電台、中央人民廣播電台、廣州電視台、上海電視台、北京新京報、北京青年週刊、城市畫報、國際廣告雜誌、上海新聞晨報、上海外灘畫報、天津日報、燕趙都市報……等近百家媒體採訪。

目前已經旅行包括全歐洲、東北非、杜拜、阿布達比、印度、東南亞、東北亞、南極、美洲、不丹……等五十多國。

李欣頻作品

《李欣頻的創意天龍8部》：

第一部：《十四堂人生創意課1：如何畫一張自己的生命藍圖》

第二部：《十四堂人生創意課2：創意→創造→創世》

第三部：《十四堂人生創意課3：50個問答＋筆記本圓夢學》
第四部：《私房創意能源庫：50項私房創意包．50樣變身變腦法》
第五部：《旅行創意學：10個最具創意的「旅行力」》
第六部：《人生變局創意學：世界變法，你的百日維新》
第七部：《十堂量子創意課：10個改變命運的方法》
第八部：《打造創意版的自己：創意腦與創意人格培養手冊》

《李欣頻的環球旅行箱》：
三部曲之一：《創意啟蒙之旅》
三部曲之二：《心靈蛻變之旅》
三部曲之三：《奢華圓夢之旅》

《李欣頻的時尚感官三部曲》：
三部曲之一：《情慾料理》
三部曲之二：《食物戀》
三部曲之三：《戀物百科全書》

《李欣頻的都會愛情三部曲》：
三部曲之一：《愛情教練場》
三部曲之二：《戀愛詔書》
三部曲之三：《愛欲修道院》

《李欣頻的覺醒系列》：
《為何心想事不成：秘密裡還有十個你不知道的秘密》
《愛情覺醒地圖：讓你受苦的是你對愛情的信念》

《李欣頻的曆法系列》：
《馬曆連夢錄》
《正能曆》
《萬有引曆》

《李欣頻的音樂導引專輯》：
《音樂欣頻率》（風潮唱片）

李欣頻Facebook粉絲專頁http://www.facebook.com/leewriter0811
新浪微博、騰迅微博@李欣頻，微信公共號請搜「readers0811」或「李欣頻」，微信服務號請搜「source0811」或「欣频道」
其中騰迅微博粉絲人數已超過四六〇萬人。

才氣縱橫、無法類比的作家

作家、前聯合副刊主編　陳義芝

李欣頻是一位才氣縱橫、無法類比的作家。
自信傑出，自覺邊緣。
心思奇幻熱烈，雜揉了憂鬱不安的特質。

她依賴現代生活零件卻否定有用即善的生活價值。
她淬取城市景象，探求文明新知，
期盼帶引人做「內在的超越」。

年紀輕輕的，李欣頻已經建立了自己的精神面向、書寫風格：
在秩序與遐想間遊走，在合法與犯意中掙扎，
她以優雅的言語姿態表現藝術，表現一個完整的人。

抒情的游擊隊式文集

前《數位時代》總主筆　詹偉雄

這是一本抒情的游擊隊式文集，襲擊我們生活週遭的大小事物，拆解熱門和流行的價值觀；而且，它兵諫的時間極短，點火你理性和感性的內部矛盾後，立刻撤退。

在生活中有些遺憾的人會讀它，覺得街景乾燥的人會讀它，迷惘的人會讀它。這種袖珍書寫的方式，將文字美學、記憶與批評高密度的整合，不是更符合城市住民集居式的人生處境？

噢！數位時代的工作者更要冷靜面對它！看它的文字綠扁帽，深入我們脆弱的腹地，瓦解我們用位元、網路和IPO密織的邏輯防線。在它遺留的廢墟裡，我們要籌備復建計畫，還得面對情緒的傷痛。

但，也不要那麼微言大義去看它。
熟悉李欣頻對比、隱喻、指涉、模擬情境的文字運用，
終於，我們作文的能力得以中年再造。

閱讀敗物教，你將會更加了解敗物教

水牛出版社社長　羅文嘉

你信什麼教呢？是佛教？是道教？是基督教？是天主教？回教？還是睡覺？
不過，我相信越來越多人信奉「敗物教」。

你很敗家嗎？你信敗物教嗎？你想成為敗物教的信徒嗎？
閱讀敗物教，你將會更加了解敗物教。

因為廣告越來越有趣，因為廣告越來越吸引人，因此，有越來越多的人討論廣告。
廣告讓敗物教的勢力版圖不斷擴張，讓人們的慾望不斷吞噬著消費市場。

「買了我，你才是走在時代的尖端！」商品如是說。
你要消費嗎？敗物教告訴你，你不消費就是對不起你的情人，對不起你的家人，對不起你自己的良心。
你跟得上敗物教的腳步嗎？還是你還要活在久遠的石器時代之前？

從石器時代以來，人類就有永遠無法滿足的情慾、無法抵抗的寂寞、無法拒絕的熱情……；

透過敗物教的廣告，我們看得更清楚。

許多潛藏在人類心中待解的秘密，透過《廣告敗物教》，我們可以發現——更多、更多！

偶然與巧合的十年廣告機遇

李欣頻

我沒想到與廣告的意外之緣，竟深深影響我二十到三十歲這段人生最關鍵的青春歲月。

本來喜歡畫畫的我，因為母親，所以轉移興趣成寫字寫詩。本來想出家學佛的我，因為高中甘老師努力勸我打消念頭，所以繼續面對聯考。本來想念哲學系的我，因為父親，所以改填廣告系為志願。本來想出國念書的我，因為意識形態廣告讓我留下來寫了生平第一篇文案，鄭松茂、許舜英、葉旻振在那一年影響我至深至鉅。本來到誠品面試只是想試試自己的文案功力，曾乾瑜把這個一面之緣變成了十多年的愉快合作。本來找新新聞要出的第一本書是關於旅行，謝金蓉看到誠品的文案，建議我把文案作品集作為我第一本書，然後意外地開出一條創作與出版的路。然後謝謝聯合報副刊陳義芝、廣告雜誌的張素華，讓本來想分心去做別的事的我，又回來思考廣告、繼續延伸創作。然後再謝一次我爸，因為他又食髓知味地鼓吹我念完政大廣告所後繼續念博士班。當然也得謝謝那些當年在廣告所容忍我老是請假出國又讓我順利畢業的開明恩師們、情同手足的同學們、對我很好也養育我十年的廣告客戶們……。

人生充滿了不可知的機遇，現在看來全是一場場老天設計好、聯貫完美的巧合。我很感恩自己在最顛簸不穩、出社會的第一段人生旅程，就幸運地遇到一個個啟蒙我、不吝給我機會嘗試的重要貴人，讓我峰迴路轉一路驚險卻順暢平安地到達三十歲彼岸。

在三十一歲生日的今天，面對我第三本廣告書，我竟充滿了不安。

我不知道這會不會是我這輩子最後一本廣告書？因為人生境遇太多變化，太無常，我也是跟著機遇在走，會到哪裡，我也在好奇地等盼著。早已習慣意外，學會了隨遇而安，所以也不必預設立場；不過我現在做什麼事都當成最後一件事在做，必須完美收場的自我要求，讓我壓力越來越大。

我也不知道，三十歲開始要往四十歲的中年旅途中，我還有沒有這些貴人繼續加持？還是我得學會一個人孤單上路？我還有沒有十年前的體力和不畏虎勇氣，不顧別人的眼光肆無忌憚地與創意玩得自得其樂？

不管未來如何，我已經從廣告遊戲場中開始三十歲後新生的人生，我說不清這條已經在眼前展開的路會是什麼光景，但我確定它會離我的想像更近些，離人更近些，離自我深處更近些，離安穩靜定更近些。

最後謝謝這本書舊版的催生者：郭宏治、王正宜，以及新版的催生者：暖暖書屋的龐君豪、歐陽瑩，讓我順利以廣告畫下新世紀人生的驚嘆號。

advertising

黑色廣告文集

交通工具類

摩登叢林：
新野蠻法則

嗜機如命的
狂熱份子

手機通訊類

手機人類學
兩難生命線

生活享樂類

黑色司迪麥

價值百億的
鑽石之戀

延償報應的
信用卡

電腦網路類

愛情復仇記
網路自溺事件
電子商務近視症

世紀末
廣告警世錄

家電用品類

沈默是金的答錄機
混色洗衣機
數位貞操帶

手機通訊類

手機人類學

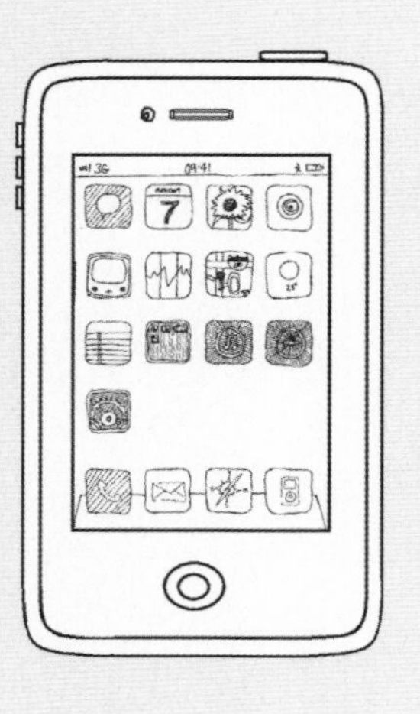

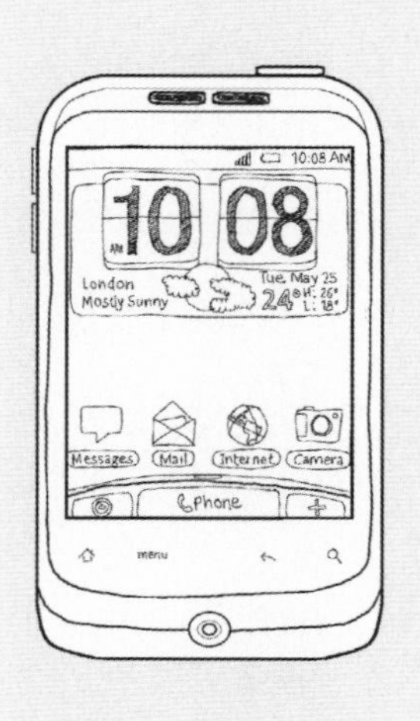

如果小小的西門町，
還要細分成幾種不同的部落，
手機，
就是你判別各類種族唯一符徵。

玫瑰金的iPhone7，
是穿短窄裙、高跟露趾鞋、
飄逸長髮女生的印記。
改裝後果凍色 的手機上面，
一定掛滿一串串Kitty貓、趴趴熊、
南方四賤客 外加小丸子，

然後找個女生兮兮的珠織手機袋
掛在身側。
螢幕上親密的橘色緊迫盯人，
一天照三餐打，沒營養的情話，
絕對值得用昂貴的青春來換；
還有，她逛街殺價的嗲聲，
和接電話的長尾音：喂——
一樣性感撩人。

Galaxy則是有女性特質的男生愛用。
他們很溫柔，擅旅行，交遊廣闊，
手機要夠輕薄，
才能經得起他們的自由。

Sony另一款防水防泥、
Xperia的更好，
順便防汗防淚，
減輕多情的後遺症。

手機是新人類不能沒有的社交工具，
拿來呼朋引伴，
像是身體的另一種性特徵。
他們用電話費建立短暫的人際關係，
以秒計交情。

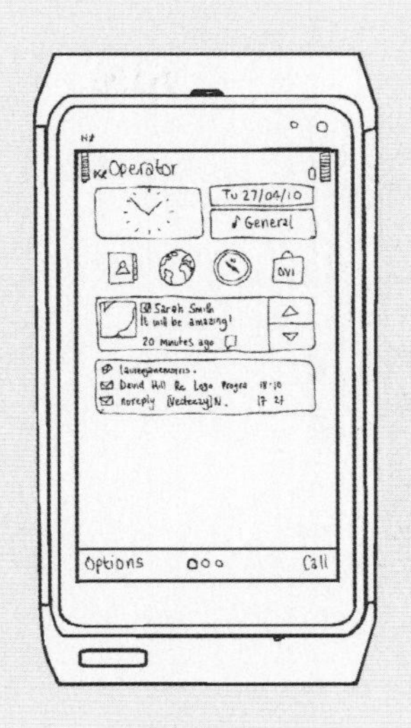

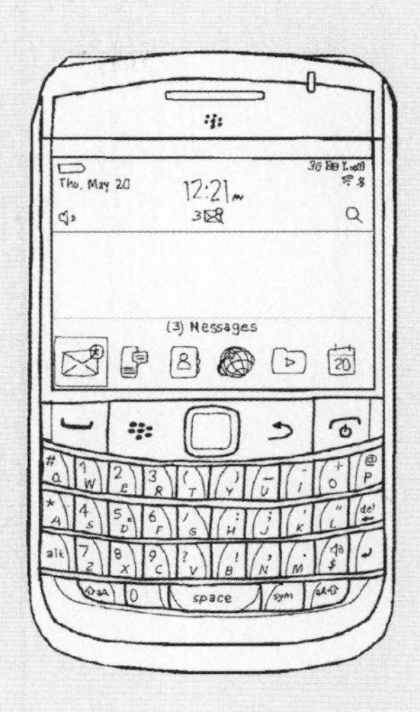

我打算在西門町的行人步道上，
觀察每一個手機人種的圖騰、語言，
開始寫台北第一部手機人類學。

兩難的生命線

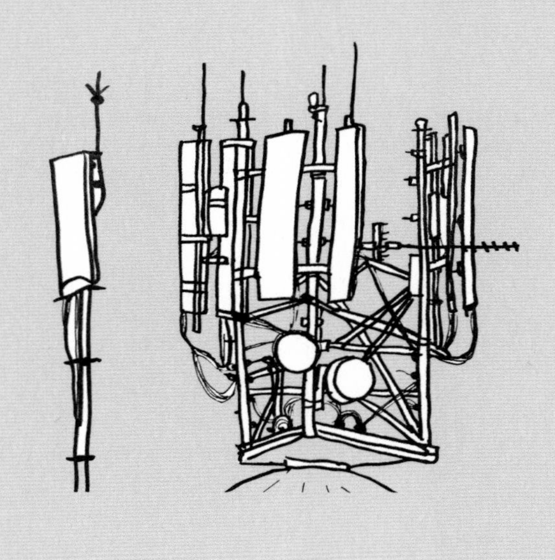

情緒一向
陰晴不定的我，
行動電話
是我在公車上、機場休息室、
戲院出口、
考場外、人群裡，
對外求助的重要生命線。

我對它的依賴越深，
我的頭越痛。
像是孫悟空的緊箍咒，
三尺的神明在牽制
不讓我對外訴苦過久；

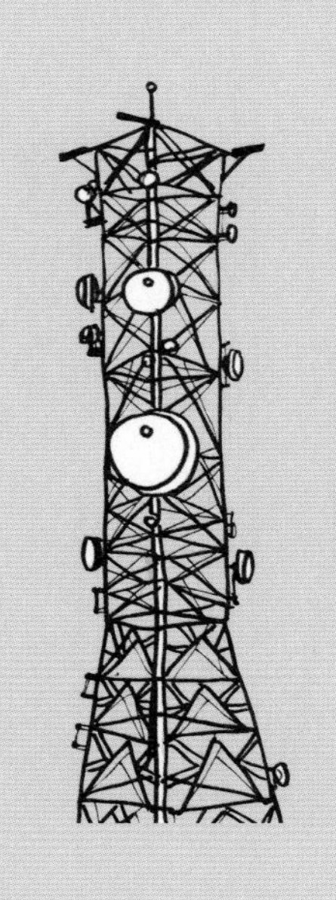
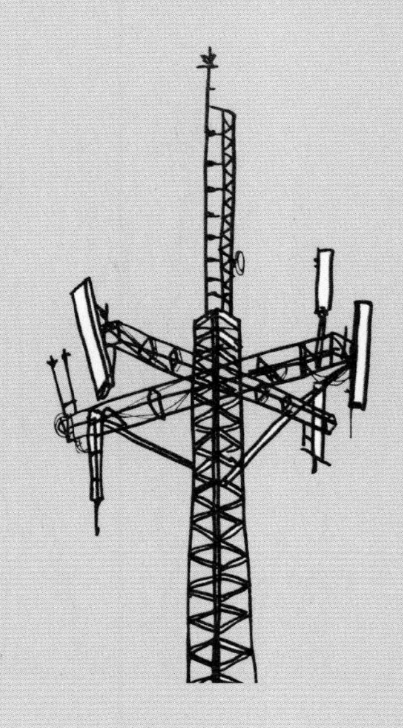

如果我持續
傾洩我的情緒超過三分鐘，
我就感覺火
從我耳朵燒到太陽穴，
頭痛欲裂，語無倫次。

也就是說，
我的傷心有假釋期限，
超過時間，
向來「先亢奮、後衰敗」一個人的
輻射電磁波，
就開始重傷我的腦。

我必須學會
一分鐘內速說我的挫敗，
第二分鐘內，
在朋友的勸說中
立即找到解方。
我得自行承擔
內心大部份的痛苦，
感性的心與理性的腦之間，
都脆弱，
所以無法兩全。

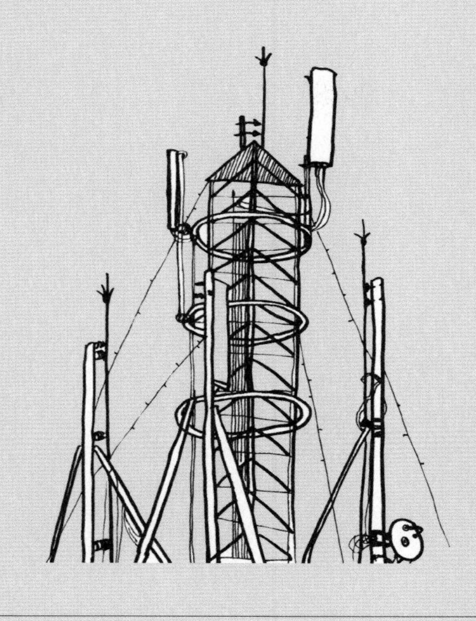

我開始懷疑：
躁鬱症痊癒後，
是不是會開始罹患
偏頭痛。

愛情復仇記

沒有什麼手段，
比癱瘓你的電腦，
更殘忍。

殺掉你
一腳跨兩條船的多情管道，
殺掉你
明天要提案的重要文件，
你通訊錄裡的好友、同學、
同事、老闆、客戶、新情人……，
全都被傳染病毒而連夜咒罵你，
集體將你隔離、
並用最強的掃毒軟體，
驅逐你所有的來信。

在這個疫情蔓延的時代，
你像得了黑死病，
所有人都對你都敬而遠之，
讓你三十五年來的人際關係，
毀於一旦。
你拿來出軌的電腦，
基於道義上的制裁，
它將不再保護你的貞節，
全心為我復仇，
這比在你家放火還恐怖。

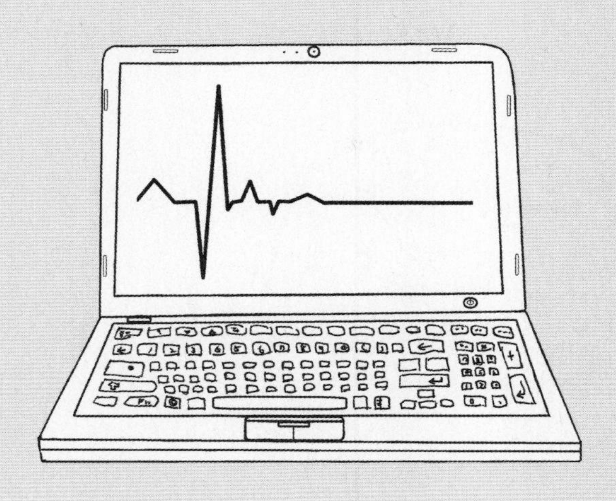

只要寄上I LOVE YOU，
自作多情的你，
就會毫無抵抗能力地中計、中毒——
最快速復仇的方法，
就是用愛毒死你。

現在沒有人再相信「I Love You」了，
這句話有毒。

網路自溺事件

在數位時代裡，
每個人都患了資訊耗弱症。
捷運上、書店裡、電視新聞、
報紙、雜誌、咖啡廳、電腦網路、
手機線路上……
所有你閃不掉碰得到的媒體，
一夕之間，
全被電腦願景、新虛擬天國、
生死存亡的戰慄時空、
萬人連線的天堂、
二十歲科技CEO創業傳奇、
E-COMMERCE、
一夕致富且曇花一現的機會、

及上萬筆的網路幸福佔滿了。
連走在路上，
電腦都化身手機附身，
陰魂不散。

電腦當然能帶著人類向上，
但速度再快，還是跟不上：
氾濫成災的數位資訊、轉寄流言。

藥越下越重的防毒軟體、
掃都掃不完的垃圾信件、
樂觀過剩的電子報、
瀏覽不完的趨勢、
新網站的新招式、
舊網站三月速亡的泡沫、
打不完的創意肉搏戰、
吃人不吐骨頭的勞力壓榨、

看不完分久必合、
合久必分的網路興衰——
電腦成了綁在腳上的大金塊，
每個網路狂熱份子
都努力浮出水面求生機，
像屈原自溺，
每個人都快淹死了，
變成一堆夢想不死的網路白骨。

網路上的一年是人間的七年，
每個人都瞬間老化，
酒吧裡多了許多少年白的霜降頭髮，
和少年老成的靈魂。
網路邊緣份子
想策動世紀末最大規模的革命，
用最毒的病

癱瘓全人類的電腦，
解放數億個酸澀的眼和過勞死的腦。

為了躲避過重的現實
和消化不良的電腦遠景，
我到希臘的聖特里尼島渡假，
過著不開電腦，
只等吃飯、等夕陽的人類原始生活。

當我發現一家立在懸崖上，
孤寂地只有三面臨海的小民宿，
我興奮地問價錢、
問我未來隱居的可能，
櫃檯小姐拿出印有網址和電子信箱的
名片告訴我：
如果要訂房間，現在很方便
可以用網路。

電子商務近視症

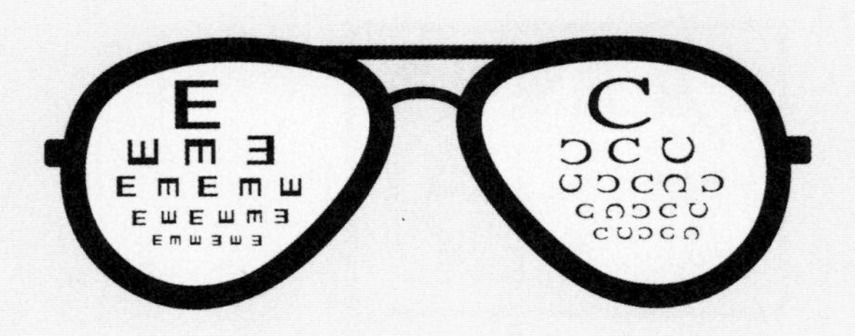

如果你自認為是電子新貴，
就不能不知道EC（E-Commerce）。
一窩風的人上網，
所有的人在電腦面前分身乏術，
一位變數位，沒有三頭六臂
就追不上網頁資訊的更新速度。

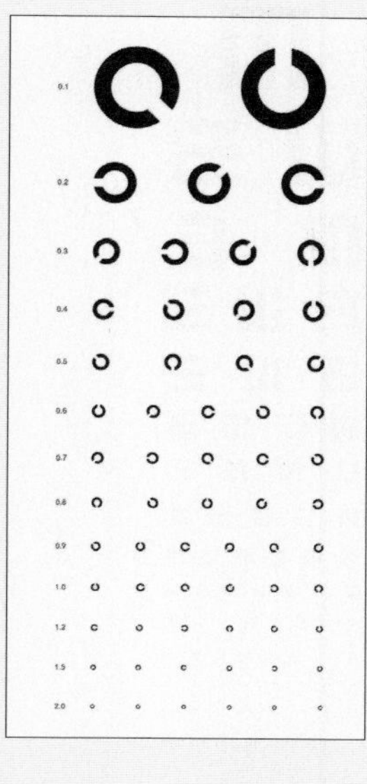

電子商務順風起飛，
企業老闆眼見這是不能抵擋的趨勢，
開始在公司的名字後面時髦地加上.com
一堆「糯米雞.com」、「美女.com」、
「交際.com」、「婚配.com」……
每秒應運誕生，
日夜忙著虛擬目標對象，
開發無限商機。

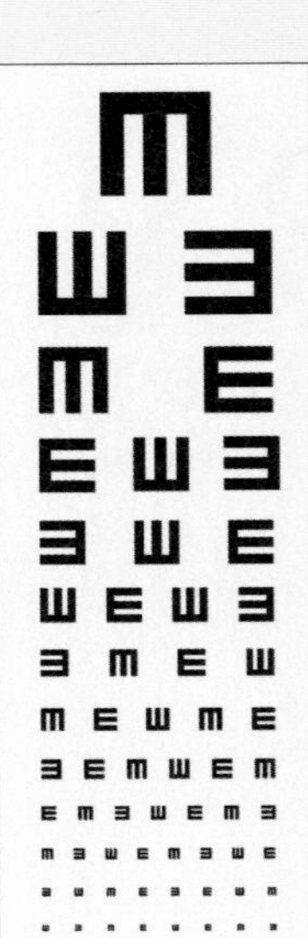

徵人版上擠滿了知識經濟、
科技致富的夢想，
有理想的人都在提Business-Model，
爭論在B2B、B2C、C2C、C2B中，
哪裡才是最大的淘金入口。

趨勢專家都樂觀預估，
每個人都宣稱看到了遠景，
直到e化變液化，

夢想破滅，泡沫浮現，
暗中開始裁員、轉型、縮編……，
才證明那堆在忙又茫的網路商機中
看到遠景的人，其實得的是
電子商務近視症。

被錢景沖得頭昏眼花的人，
都應該去眼科做EC的近視檢測。

沈默是金的答錄機

我不知道我在不在家，
可能真的出門了。
可能只是在洗澡，或者睡覺。
也有可能在寫稿子不想接電話。
總之，
請您留話就是了。

您是來通知我中獎了嗎？
您是要催我「大長今」的DVD逾期了嗎？
您是不是要告訴我，
我訂的「Colors 43期」已經缺貨？
您想約我出來吃飯、喝咖啡嗎？
您想要找我寫文案嗎？
您是出版社，要我出來開會看稿子嗎？

您在催繳電話費嗎？
您正在做全國消費者趨勢大普查嗎？
您是想向我打聽另一個人的近況、
電話號碼和八卦嗎？
您想向我借錢外帶借《哈利波特》嗎？
您想向我推銷美容課健身俱樂部會員嗎？
您想採訪、想約稿、想要我上通告嗎？
您想通知我明天交護照和旅行訂金嗎？
還是只是突然想起我，
沒事就聊聊打發時間？
您打錯電話了嗎？
還是您聽到我在您答錄機上的留言，
現在終於有空回個電話給我呢？
不好意思，我現在無法接聽您的電話，

請您留話，我會儘快回電話給您，
謝謝！

我的答錄機不會拒絕您的問題，
但也不會答應您的條件，
嗶一聲之後寂靜無聲，
您會感覺像是，
我不回嘴，默認您所有的要求。
我們之間有像寫情書那樣
等待彼此回音的時間，
有緩衝的餘地，
有各退一步的遐想。

因為不能接電話所以還沒有答案、
還沒有共識、還沒有定論，
事態還不明朗，謠傳未獲證實，
您還不了解我的消費習慣，

我們關係撲朔迷離，
我們的未來，
因彼此都在想像而美好，
我們永遠在未來進行式之中，
永遠都有合作的可能和希望。

有因還沒等到果的期間，
能量最大，生命力最旺盛，
其實有些事情，
沒有答案也很好。

我除了定時聽留言外，
我得開始幫我的答錄機，
定期抹上人際潤滑油，
讓這些充滿問號等待答覆的靈魂留言，
運轉順暢。

混色洗衣機

我不知道我那件在西班牙買的及膝裙
紅得這麼潑辣，
放進洗衣機裡，
把我想正式開會時穿的白襯衫、
想要幫黑高領緊身衣提振精神的白背心、
淡米黃色的麻織迷你裙、
黛安芬的白色內衣……，
無一倖免地，
全都染成了我最最痛恨的粉紅色。

這次染色事件，
我才知道有些顏色實在太強勢，
尤其是有意識形態的那種。

白色不會去改變綠色，
但粗暴的紅色
就會去欺壓比他弱勢的淺色；
藍色把大家泛洗得普天同慶，
青出於藍。
有的顏色則是越洗越淡，
越洗越沒立場，
比方紅色和綠色放在一起洗久了，
模糊的騎牆風味，
看不出來誰還對自己的原色有堅持。

因為不確定放進去的衣服，
會變成什麼顏色出來，
所以每次在洗一人份的少量衣服，
都像是在下賭注：

黃色的圍巾和藍色的牛仔褲一起洗，
會不會變成可以一起穿出門的綠色？
紅色的裙子和黃色的襪子一起洗，
會不會變成腰部以下橘子色的視野？
藍色的桌巾，和紅色的手帕一起洗，
會不會幫我染成夢幻的紫色？
灰色的外套，和黑色的泳衣一起洗，
會不會越洗越烏黑亮麗？

洗衣機把我私家簡單的清潔，
當成黨內肅清，
黨外競選旗幟較勁的戰場。
我的各色、各國籍的衣服，
已經在洗衣機裡自行統一，
世界大同。

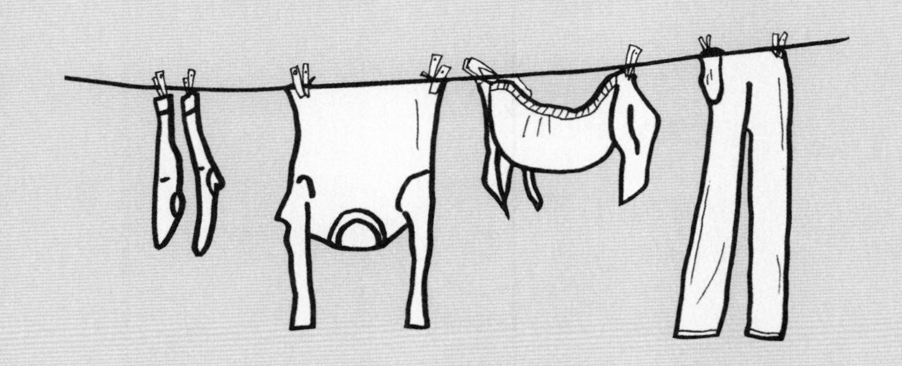

洗衣機裡的風暴，
每兩天就發生一次。
我不願純白的衣服再被其他顏色玷污，
我開始放棄這台黑白不分、
沒有判斷力、
縱容大欺小、
姑息運轉著現實大染缸的
混色洗衣機。
所以我開始用手洗衣服。

數位貞操帶

現在不需要徵信社，
不需要追查抽象而羅生門的線索，
反正到後來總是證據不足而不予起訴。
乾脆自己走過的，就自行存檔、
自留痕跡。

所有第一次拿到數位攝錄機的人，
都驚訝時間可以倒流：
可以再會昨天一起吃飯的好友、
可以再看一次夕陽、
可以重複上一秒的激情、
可以Repeat上週末的夜狂野。

這種隨時逼真地取閱記憶的特權，
讓人想衝動地不計後果，
全程留下激情的特寫、
無限延長旅行和意外的視覺暫留。

從拍攝到呈像，產製一體成形，
自給自足。
不用經過沖洗店的偷窺，
看似安全隱私，
就縱容更大膽的演出。

把數位攝錄機當情趣商品用，
他們能無限次地重複、刪除、重組、
演化愛情比較好的那部份，
然後把影像用E-mail感染給對方。

偷情和偷以前時間的人，
都要付出代價。
貪心的後遺症，
搞得電腦裡到處都是jpg檔的證據、
八卦週刊用不完腥羶話題。
露骨的秘密，
結果就像電影《八鳖米》的下場——
生前來不及湮滅
如電影般真實的大量證據，
死後就被人追得
身敗名裂。

將來情侶變怨偶，
一翻兩瞪眼，
不必再找藏著的紙條、
用過的衛生紙、
有色的床單苦苦相逼，
打開電腦，
都是用不完的報復證據。

前提是，
你必須學會打開另一半的電腦，
並破解他的密碼，
而不是心防。

摩登叢林：新野蠻法則

基於汽車廣告上一再宣導的
智慧、行動、優雅、自信與尊榮，
我買了一部二手車，
體會一下爬坡、轉彎、上山下海、
無限駕馳快感的人生新里程。

拿到車的第一個週末，
我對著這輛，
即將改變我命運的愛車，
心想終於可以省去等公車的無助、
少掉曝曬紫外線的苦難、
以及杜絕坐計程車的風險，
滿心期待地列出我今天的行程：

八：〇〇　三大袋換季衣服送洗。
八：二〇　郵局領催繳兩次的掛號信。
八：三五　交逾期的電話費。
九：〇〇　軋支票。
九：二〇　吃麥當勞鬆餅早餐。
十：〇〇　行天宮拜拜。
十：三〇　長春路看早場電影。
十二：三〇　同學聚餐。
十四：〇〇　爵士洗照片。
十四：二〇　修行動電話。
十四：四五　到公館買CD到唐山買詩。
十六：三〇　到天母調脊椎。
十七：五五　和家人吃晚餐。

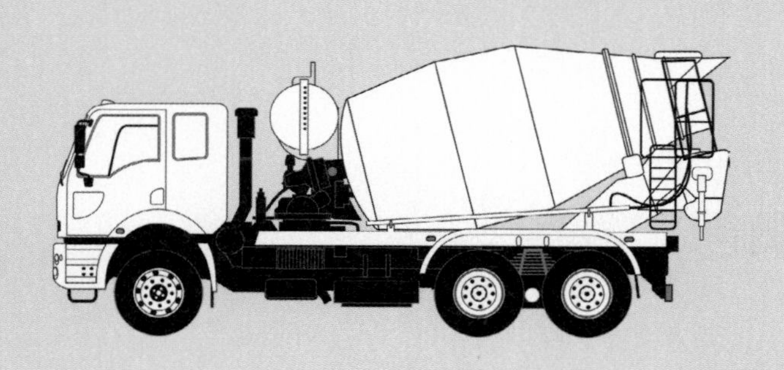

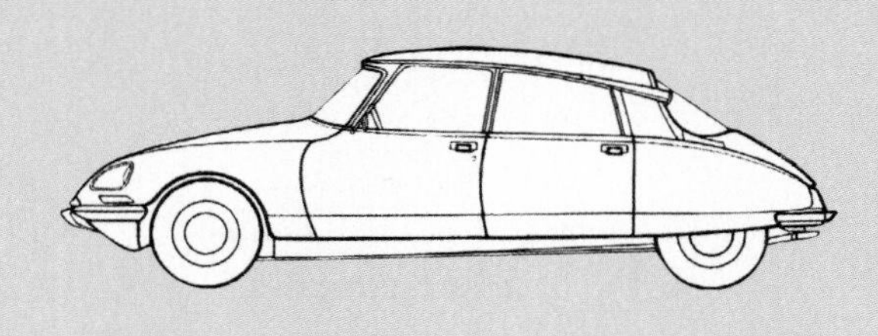

結果人算不如車算，
一送完乾洗到郵局時就找不到車位，
然後一陣巨響排氣管掉了，
在開到修車場途中，電瓶快沒電，
冷氣也落井下石地壞了，
我預計充實的大半天，
就在修車場裡周旋地渡過，
等到修好還恰巧遇上大塞車，
我的脾氣遇火焚身，
開始和同車的家人吵起來。

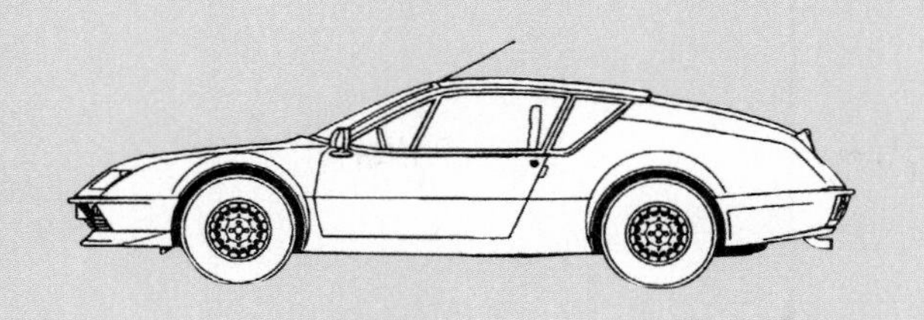

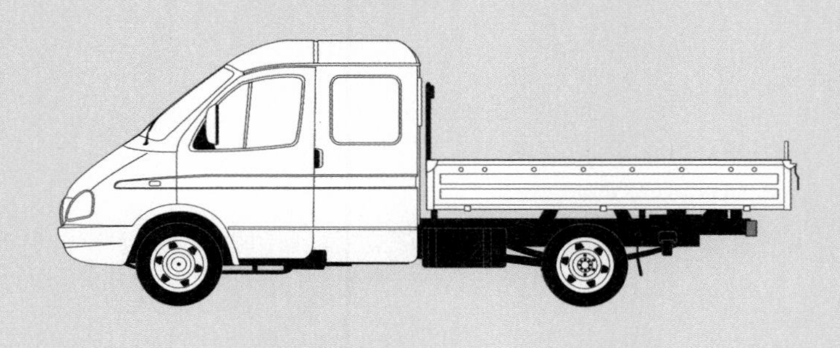

原來家人至上，溫馨感人的家庭房車，
遇上台北這種交通，
就通通失去修養、反目成仇。
原來我優雅的行動力，
就在找車位、搶車位、
加油站和修車場之間，
充滿了擦撞和三字經。

哪來加速的快感？
只有快熄火的焦慮而已。

嗜機如命的狂熱份子

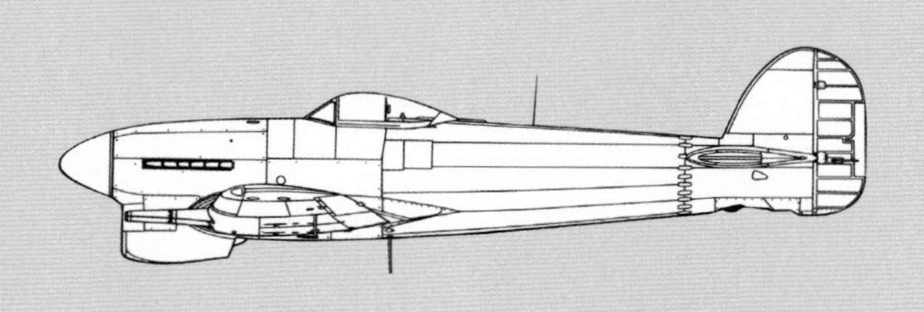

離開愛人有一千種方法，
離開飛機艙，只有六個逃生口。

我喜歡坐飛機，
因為安全帶可以把過動的我
綑綁在有編號的座位上，
讓一聽到電話、掛號、快遞、
按門鈴就躁動的我，
有一個與世隔絕、
避免激動的最好方式。

沒有人找得到我，
我也就死了不甘寂寞的心，

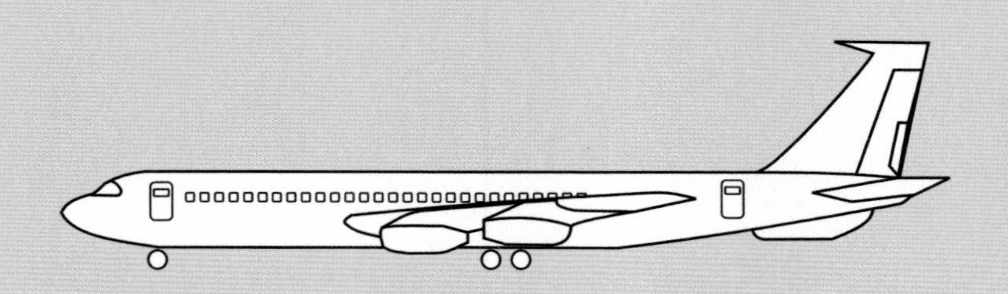

遠離紅塵，
無怨無悔地專心寫稿、看書、讀報、
想人生、算恩怨、用易占測未來，
或是好好地看一場
沒有廣告打斷劇情的機上影片。

我喜歡坐飛機，
因為會有人按時進膳，隨傳隨到。
因為我可以一次點很多的酒，
同時喝很多杯不同的飲料，
可以一次拿兩塊麵包吃很多次餐
都不必追加錢。
對一個酗水如命、
期待茶來伸手飯來張口的我，
是無上的特權禮遇。

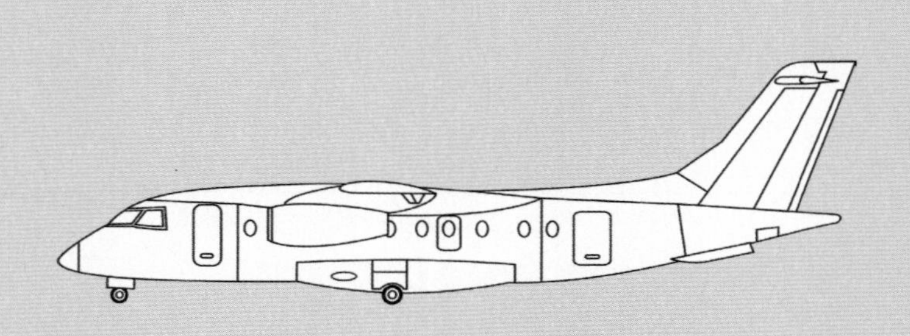

我喜歡坐飛機，
從三萬五千哩高空中
看我離開台北的過程：
穿過雲，外面的空氣越來越稀薄，
「在同一個高度上，
除了同機的陌生乘客外，
沒有任何競爭者或敵人
能和自己等高生存」的想法，
幫自己用很阿Q的身體高度，
重建自信心。

我喜歡坐飛機，
能和有緣的陌生人比鄰而坐，
微笑致意，禮貌優先。
因為半生不熟、所以睜眼閉眼，
半偷窺半睡覺、

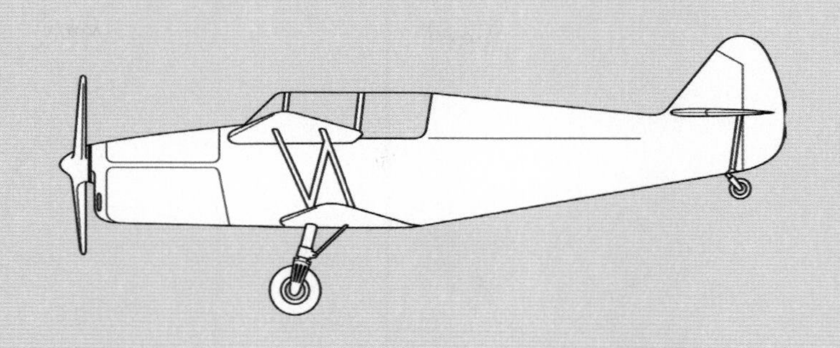

醒時保持距離，
睡時無意變有意的碰撞，
亂流時共患難的關係，
讓很多男、女主角的愛情故事，
不約而同地從坐飛機開始。

我喜歡坐飛機，
因為我想睡覺時，
可以自創軟骨功並且鍛鍊瑜珈，
可以不用照X光片就知道
自己總共有幾處關節能伸、能屈、
能舒服地蹺成一球。
有時，好運和自己一起登機，
坐到四下無人的位子，
把經濟艙躺成頭等艙。

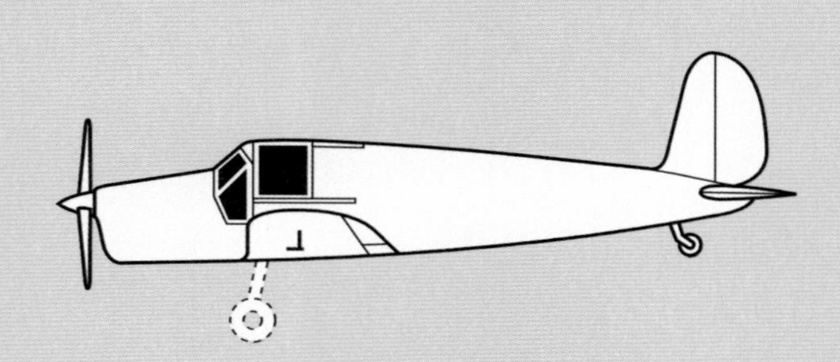

我喜歡坐飛機，
我喜歡不停地調時差、偷換日線、
並篡改生理時鐘。
我在飛機上胃口極佳、精神特好、
靈感最多，
在飛機上不會失眠，
我懷疑我上輩子在飛機上出生
而且有多次霸機的紀錄。

我喜歡坐飛機，
因為我嚮往聖．修伯里的駕機失蹤，
迷戀徐志摩迷到竟想和他一樣，
用最快、而且不被怨恨的方法
離開世界，
離開愛人。

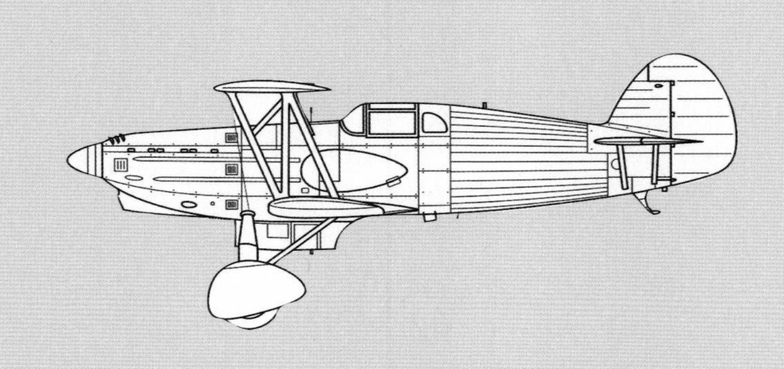

以「天意」壯烈地分手，
留下大筆的慰問金，
讓航空公司和保險理賠，
代我償還剪不斷理還亂的感情債。

一年出國六次，追究起來，
我應該已經得了嗜機症，
不坐飛機就難安。

老是拿到一大堆升等哩程的我，
這種極度敗家的機癮如果不戒，
說不定哪天會因精神性的理由
鬧機、霸機、劫機，
以致於永遠不能坐飛機……。

後記：後來這個戒不掉的嗜機症，在紐約九一一客機自殺攻擊事件之後就不藥而癒了。

黑色司迪麥

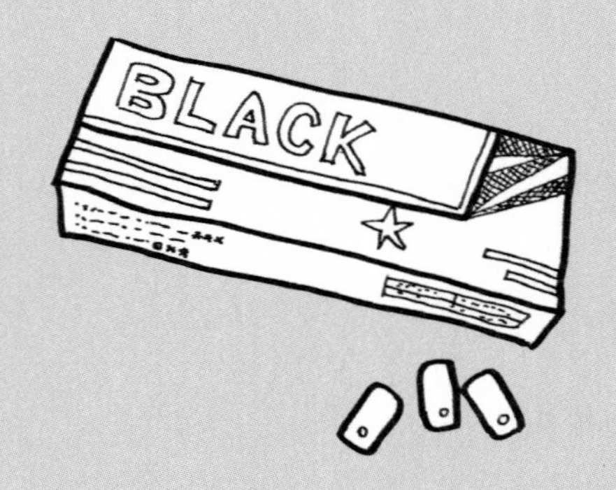

好前一陣子，
流行吃有顏色的司迪麥。
他們把人分成適合吃紅色的叛逆份子，
吃黃色的浪漫人士，
吃綠色的環保尖兵，
吃紫色的時尚小姐。
我等了半天，
就沒等到黑色司迪麥。

如果口香糖能有黑色口味，
那麼那些喜歡穿名牌黑衣的人、
把黑色當幸運色的人、
完全黑色人格的人、
罹患陽光過敏症的夜貓子、
黑人、喜歡黑人的人、
專拍黑色喜劇的電影導演……，
一定對黑色的口香糖趨之若鶩。

再加上最近這麼多
在股市重挫斷頭的大亨、
踩著屍體往上爬
剛卡位就失業的中年男子、

才踏出社會不久
就恭逢人生不景氣的社會新鮮人、
由奢入儉難、
心情長期蕭條身消瘦的女子、
愛情期貨低迷、
山盟海誓提前跳票拿魚槍瓦斯
士林菜刀大開殺戒的怨偶……
在黑市中找生路
在暗夜裡徘徊的人越來越多，
想必黑色口味的口香糖，
用黑箱作業的行銷手法，一定暢銷。

黑色司迪麥，在口蹄疫流傳的時候，
可以是豬蹄口味。
在信心崩盤的時候，
可以是農藥或烈酒口味。

在失戀的時候，可以是大量嚼食、
無茱麗葉後遺症的安眠藥口味。
在憂鬱的時候，可以是安定神經、
振興味覺的黑糖口味。
在自暴自棄、頹廢的時候，
就是把吃苦當吃補的當歸口味。

日照越來越少，台灣就越來越快天黑；
秋天到了，春天好像還很遠。
新政府及相信夢想還沒到的選民們，
來一片，
黑色司迪麥吧！

價值百億的鑽石之戀

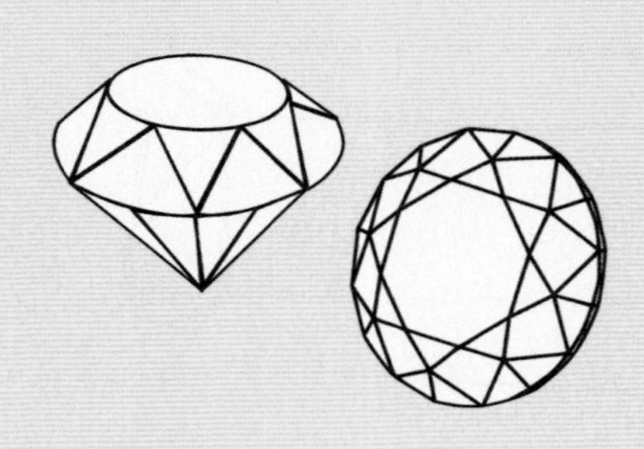

兩個月前，大和拜金女收到
比她大五十歲男人送她的
五克拉心型紅寶石訂情大鑽戒，
她覺得她的決定是對的。

回想以前和快遞小弟談戀愛時，
在雨中坐他的摩托車一點也不浪漫，
淋成落湯雞根本無法優雅，
所以不能享受風雨同舟共濟的患難情誼；
加上在坑洞中摔了一跤擦破了皮流了血
這愛情的意外風險太高，

經不起車漏偏逢連夜雨的考驗，
她羨慕坐在汽車裡吹暖氣的愛情。

為了安全感，
她和有車的郵局主管在一起。
他的薪水，
每年以3％的速度緩慢增加，
追不上她20％高成長的生活品質；
浪漫的存底太少，消費透支，
寅吃卯糧，
她一觸即發的物慾持續掏空愛情，
王子公主的夢一夕崩盤，
下一個男人會更好的明訓，
讓她對愛情不死心。

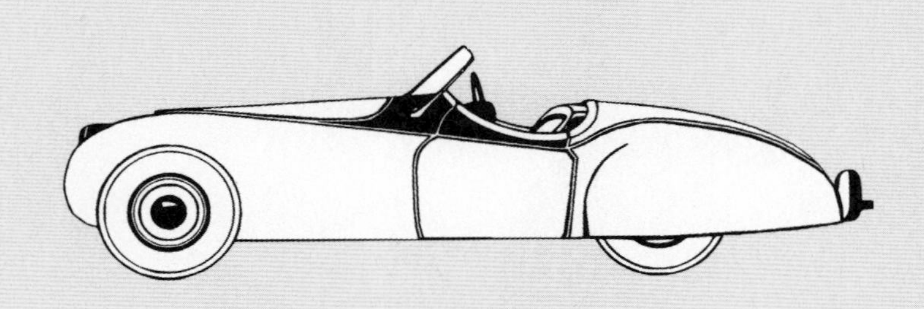

然後和一個模特兒男友熱戀，
一輛敞篷跑車四處兜風，
她雖滿足，但他的床邊不只她一人，
而且還向她借錢還車的貸款。

直到遇上他，一個八十五歲電影大亨，
已經年老色衰、家財萬貫、
膝下無子。
當她收到他的鑽石，
她看到了
瞬間發光的流星，
在胸前供她許一輩子的願；
她看到了永恆的愛情和長期飯票，
她知道她會陪他到老至死不渝。

上個月才閃電結婚，
昨晚就失去愛人。
眼淚還沒乾，
今天中午，律師就宣布她
合法地繼承了一筆上百億的財產。
還好她相信了，鑽石恆久遠，
一顆永流傳的廣告詞。

延償報應的敗家信用卡

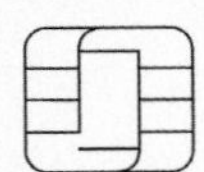

有了信用卡，
買東西就不用看標籤。
只要像批公文、花公家錢那樣簽個名，
不會感覺錢從自己口袋裡掏出的痛。
失業的時候可以帶卡進餐廳，
不帶錢去吃魚翅。
失戀的時候刷卡出國，
不帶錢去旅行。
信心崩盤、經濟不景氣、
愛情蕭條的日子，

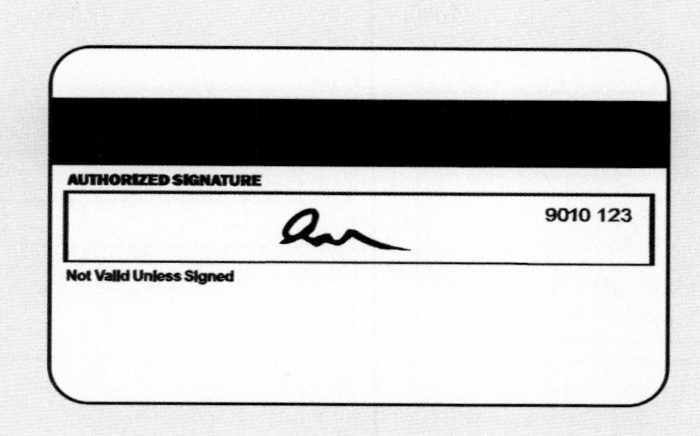

只要你還有信用卡，
老天就多給你一個月以上的好日子。
每次只需籌付最低應繳金額，
善解人意的銀行就寬限你，
用循環利息的未來債務，
交換當下的即時行樂。

我們還有一個月的盛世可以過，
還有一個月可以等待奇蹟。
店員看不出來你有沒有錢、
有多少債務、
還剩多少資產，

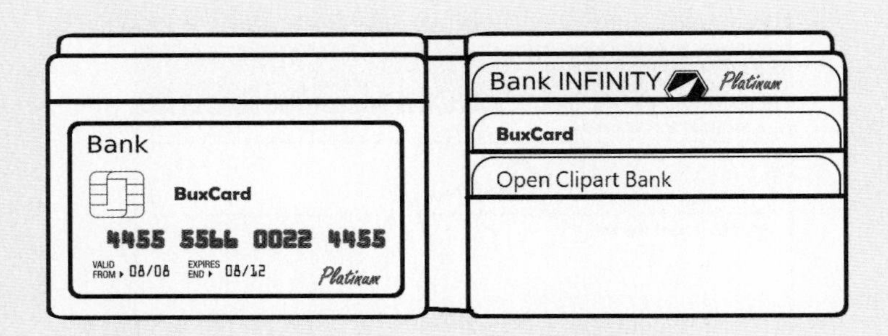

只要是金卡可以支付的，
就可以維持榮面，
不會有家道中落的現世報。
落魄的時候，
你需要的不是白眼的家人、
見死不救的朋友，
而是只認你簽名，
繼續給你尊榮待遇的信用卡。

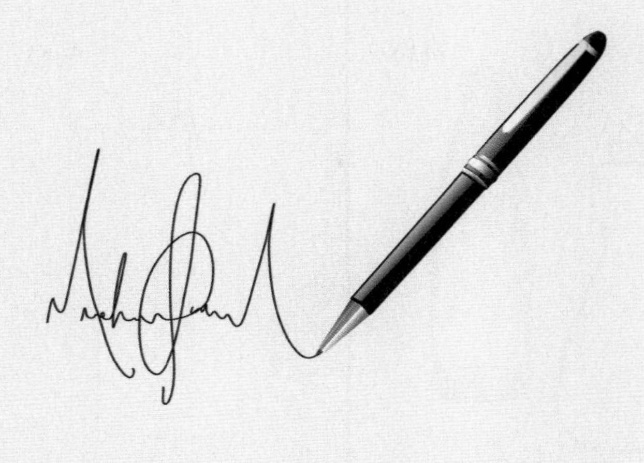

越來越多的信用卡破產者、
不負責任的敗家子、
無政府反動份子，
悲觀末期的憂鬱症患者……
以刷爆信用卡的激烈行為
諷刺資本主義的荒謬，
賭世界末日免償債務的可能，
連夜與酒肉朋友狂歡擠兌百年奢華、
實踐一月亡華的詛咒。

原來自己的名字這麼值錢，
收到上個月帳單上自己的簽名，
要花十三萬塊。

世紀末・廣告警世錄

你沒喝我們的優酪乳，
表示沒做體內環保，
不衛生，不健康，不愛自己，
身體越來越毒，
你在慢性自殺。

妳沒用我們的Pitera活膚保濕面膜，
妳會有皺紋，妳會老得比同學快。
你沒用我們的洗髮精，你會有頭皮屑，
你會尷尬，你不乾淨，很不專業，
你很丟臉。

妳穿不下我們的牛仔褲，
表示妳不夠性感，不夠苗條，
有懶惰、不減肥及縱容身材的罪名。

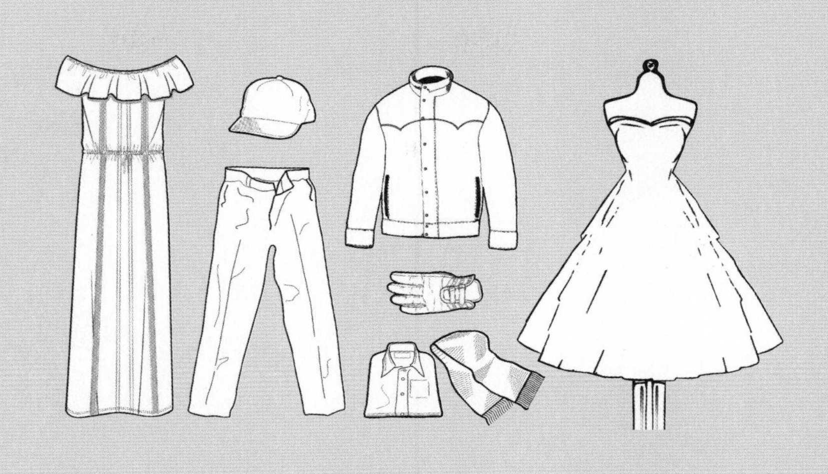

你的孩子沒喝我們的奶粉，
會延緩發展智力。
他沒辦法長得像大樹一樣又高又壯，
他會輸在起跑點。

你沒買我們的房車，你很自私，
對家人不夠好。
你不是新好男人，
連帶孩子家人去郊外聽鳥鳴的
舒適交通工具也沒有。

你沒用我們的陳年好酒宴客款待，
你真是苛待朋友，吝於分享，
疏於溝通，不懂得生活。

你沒來我們的英文補習班上課，
表示你不夠國際化，沒有競爭力，
連一點上進心也沒有。

你沒買我們超輕薄的筆記型電腦，
你的知識看起來沈重而落伍，
連一點飛躍時代的行動力也沒有。

妳沒買我們的魔術胸罩，
就撐不起男人對妳的吸引力，
妳在愛情市場會失去傲人的行情，
了無魅力。
連這點自覺也沒有，誰也救不了妳。

妳沒馬上來我們的百貨公司消費，
妳會焦慮剛上架的好衣服，
會被妳的情敵買走。

你沒用我們的5G手機上網，
突來的好運都連絡不到你，
你會沒被通知到參加同學會
你會沒有朋友。

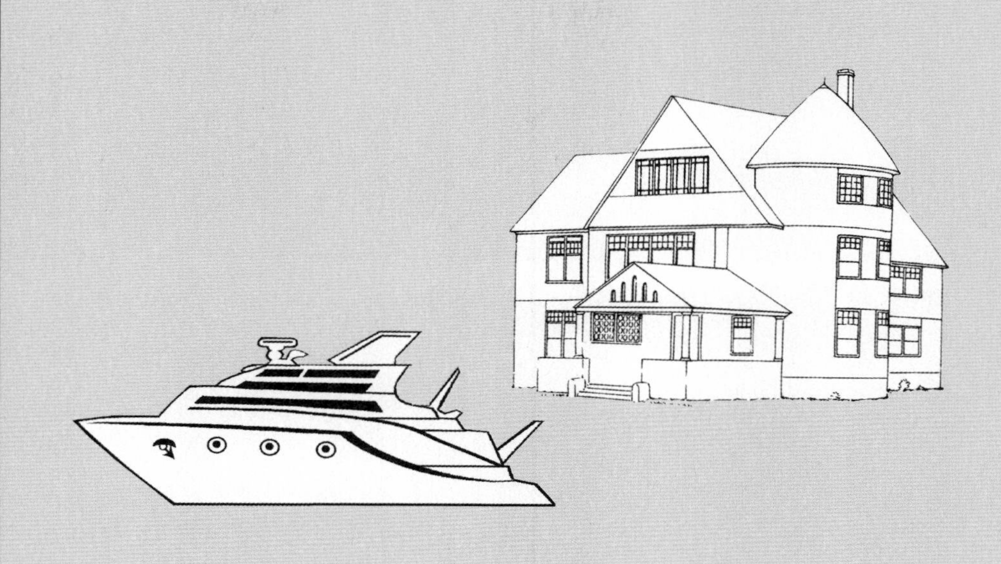

你沒買我們的鑽石，
表示你的愛情很廉價，
對愛人寡情，
你和她過不了一輩子。
你買不起我們的房子（我們已經夠優惠了）
你該好好檢討一下，
你的錢都花到哪裡去了。

因為你不夠有錢有勢、不夠年輕、
不夠苗條、
不夠美麗、不夠健康、不夠舒適、
不夠前衛、不夠有品味，
所以你一直不滿現狀、
一直對自己不夠好、
一直對家人朋友有虧欠，
所以請再閱讀廣告五千年，
它會用各種名目繼續教你
「適者花錢就好生存」的道理。

The Man
Ancian Greek for Newbies
SHARKS LOVE PETS
500 Fun Experimentaions 500
Chemistry
MOBY the Whale
Egyptian is the greatest language (after Greek)
THE BLACK TEMPLE
William Wallace
Medics & Me
All your Base Are Belong to Us
DICTIONARY
FRENCH ENGLISH
DICTIONARY
Luke, I am your father!
DICTIONARY
COOKING
A STAR IS BORN
Odyssey of Species
Heal with Plans
Anubis - The God who wants to be loved
RED ROADS
Sorcery for Dummies
The Little House
Pink is not only for Girls
LEONARDO DA VINCI SECRETS
The man who sold the world
My little Bamboo
TRAVEL IN MEXICO

B

流行百科辭典

愛情篇
時間篇
上癮篇
風潮篇
健康篇
廣告商人九大罪獄
廣告文集一年後的快樂告別式

DO YOU KNOW FASHION?

愛情篇

【勾引】也有人寫成溝引。誘惑的手段。內衣的戰鬥精神。妳的身材藏在模特兒的胸罩裡。比較人性的貞操帶世襲。妳的防守被我送的緊身箍逼到沒有退路。鏤空讓妳有著妓女般的人格。妳的尺寸以及荷爾蒙的週期只有我知道。售價越高需求就越強烈。

【誘惑】巧克力的精神意義，凡人無法擋。婚禮上捨不得丟的金色夢幻花束，比玫瑰還貴。和愛情一樣，屢戒屢敗。糖果店買得到的春藥。有化學性的魔法作用。會讓人吃到忘了身材。鎮定一個小孩的童年並同時激起一個更年期失婚婦女的慾望。裡面有包酒的更嚴重，讓愛情一直處在不清醒的狀態。愛是一種靈肉如膠似漆的劇烈運動，所以要補充縱慾的能力但至今仍找不到從愛情裡逃脫的提神解藥。一七七四年教宗被暗殺的毒藥就是放在他無法抗拒的巧克力裡。

【慾望】對某種物質、利益、目的之願望。情人節晚上最貴的總統套房，我們可以不愛而夜。這裡只有錢的規矩，國王與寵妓的華麗儀式。付錢的人有浪漫的權力。身體力行一夜千金的虛榮敬意。套房外頭是另一種階級。

【性感】引人性衝動之感。睡衣。有陰謀的布料引起你的情慾。買來脫掉用的。若隱若現更有效率。讓你來定義我。反應通常強烈。請注意所有的警告與命令句。

【私語】人類最原始的一對一溝通學。行動電話，沒有分機，只有你聽見我的聲音，外遇專線。請開機。用很貴的電話費談情，只想聽你說謊，不值得拿來說真相。群雄割據的通訊天空，通話品質好不好關係到我想跟你聊多久。現在流行傳簡訊。巫師專用，隔空取信。我們有自己發明的表情貼圖，沒有第三者能解我們的密碼。比較時髦的飛鴿情書。網內互打很便宜，甚至免費，我們用同一家電信就是同一國最優惠待遇。我把你的來電設定成一一九，你一來電催魂我就馬上奉獻肉體。

【浪漫】浪費的同義字。情人節大餐。讓景氣恢復勃起的唯一方法。有蠟燭，像賣火柴的女孩，看到的都是美麗的幻影，而且可以取暖。現實感變差，想像力變好。先挑逗你的舌頭。吃了牡蠣就能壯膽。殺傷力都用在眼前的生牛肉和餐後的妳。有性功能的美食能讓女神變女囚。

【激情】海根打濕冰淇淋。冰淇淋是用來感覺的。入口可以提神，塗抹就會麻痺末梢神經。在我的身體地圖上溶化引起黏膩的水災流域。巧克力與草莓的雙色液情正在進行中。我的身體可食。請把握一球冰溶化的時間。零下十八度的官能刑求，性的款待。心跳加快愛情的新陳代謝也會加速。冰箱裡的性愛時間表。沒有想像力不愛甜食的人就沒有性慾。

【高潮】保險套品牌名。害怕有你的下一代。我應付你肉身武器的透明盾牌，我和你有最薄的安全距離。我的算術不好，你賭博常

輸，所以送你保險套。送給可以愛但不可靠的情人，讓你有上床的勇氣。是誘惑也可以裝留DNA證據報復你搞臭你。戀橡膠癖者，每晚被塑膠虐待的質感。

【麻醉】使人失去知覺。含乙醇的飲料，例如：酒。易燃。愛是病，酒有毒，兩人意識與身體攻防戰。對一個上了癮的人而言，沒有它會死。所有的現實都矇矓成超現實。沒有酒我就無法做愛。你先喝，你先繳械。

【降服】愛情直逼城下，妳的事業野心全部淪陷。妳已經遭逮捕已經被統治，我會幫妳安一個名份，法律修道院會幫我戒備妳。妳被婚姻加冕。愛本來就是一種屠殺，大軍擊潰妳的女性主義與專業威儀，妳已經在重牢裡開始服永不假釋的愛勞役。永遠做牛做馬的家電使用者。褫奪公權終身。如果妳懂這種感覺，妳就是我們廣告訴求的已婚怨婦。

【柏拉圖】飯島愛的性愛哲學。用肉體思考集體字慰達到暢銷排行榜高潮的情愛書。愛情有很多術語，夠你引經據典撐過好幾場愛情輪迴。古典主義性壓抑知識份子意淫的A書。把對象當成病歷當成標本。把愛情當學問在研究的人，可以發表不會勃起的統計學與論文。AV女優作家比情人更知道你的性感帶在哪裡，讓你在書店而不是情趣用品店買來合理化你的獸慾。雄性的破折號正在入侵陰性的冒號，動詞正在強暴受詞。當「性」是一種可以公開被印刷的床第文明，我們尊稱它為情色文學。莒哈絲說，作家什麼都不用做，只要坐在你旁邊就讓人要自慰。廣告說：知識使你更有魅力。詩人說：知識並不能使人幸福。飯島愛說：我已經很努力讀書了還被打。

【嫉妒】習慣你的氣味。習慣你的帝國主義。習慣你的聲音含氧。所以我不能和別人分「想」你。愛的計量學。斤斤計較。自古以來愛情債權人的戰爭理由。愛恨比生死更無常，毒死我的丈夫你殺掉我的姦夫你的淫婦會被潑硫酸你的老婆想辦法讓她病死。愛情的意外太多，肇事率比現在的自殺潮還頻繁，請保愛情險。

【折磨】因愛而自取其辱。災難式的感性。市場上買得到的變態A片，在電視機前示眾，求你用想像力殘暴取樂的日本女囚犯。我們用自己的身體，跟著劇情有節奏地複習小學老師的體罰。尊嚴很裸體。在這間賞罰分明的極權國家，臥房競技場上動用我的私刑公然羞辱戰敗的情人，實行我的精神拷問。我要用愛凌遲你。罰你做僧侶卻天天激起你的情欲。溫柔會讓你的愛拖得更苦更久。你活著就是我的恩典。

【預言】愛讓人失明也讓人啟明。愛是行天宮地下道算命師父永遠的業績。我不知道你愛不愛我、我不知道你還有沒有別人、我不知道我和你有沒有未來有沒有小孩，所以花五百塊問你的現在我們的未來。我是先知但你是主宰，命運中我已被設定成輸家這場遊戲怎麼玩。我已經知道何時你會吻我何時發生關係何時吵架何時結束，我知道所有你還沒告訴我的真相我知道你以後將移情別戀，恕我隱瞞我和你的未來就像你隱瞞你和她的過去一樣。我正在努力延緩我們的激情進程，拖延命中注定的愛情大限。我先看到了愛情劇本，預見你一再毒狠的感情殺業，預見我再次淪陷兵敗如山倒，在你的前科我的病歷我們的生死簿上看到我的毀亡，但這場連續劇我現在才開始要下場演。

【不忠】先背叛再效忠不法。不顧中年名譽的愛情走私。以肉慾打破愛的封建。神善變所以我們的誓言也朝令夕改。建立家譜外的血源。你的老婆已經在翻分類廣告找徵信社。如果不能保密防諜我們就玩不下去。

【幸福】可慶幸之福氣。永遠吃不完的浪漫。對巴黎鐵塔的崇拜偏執。王子公主永遠快樂三十秒的電視童話。你訂我們的喜餅才有。

【永恆】久遠而不磨滅。鑽石就是。可以折射你的多情。戴在身上，所有人都看得見你五克拉的誓言。這顆是你的愛情押金。想分手的時候我會把鑽石留下鑽台還給你。我才不會損失太多。

【自由】查無此字。

時間篇

【秒】報時台的進度。徹夜失眠者的滴答聲。電視廣告計費單位。運動員的決勝關鍵。落葉速度。精子衝動決定一生的時間。相機抓到千分之一秒歲月的瞬間速度，必須在老奶奶更老之前拍到她的笑容，在孩子還沒長大前定格他天真不懼的眼神，在兩人新婚、愛情高潮的時刻抓住甜蜜的幻影，在旅行的當下留念到此一遊的無常，在狂歡之際存證我們最好的那一秒交情。

【分】生離死別後再見面的第一分鐘是一輩子，下課的十分鐘卻只有一下子。料理的火候單位。你愛或你嫌棄的人的心理時間相對論。你的錶越貴，你的時間越值錢。沒有指針的錶戴了人不會變老，就像不相信愛情的人不必再等待受苦。

【刻】節拍器。彈琴的人彈完一曲快板或慢板。跳舞的人轉動肢體的圓周率。

【小時】寫作的人把時間打進鍵盤裡，他的眼前只有Deadline沒有明天。因為飛行所以我們有時差，因為上網所以我們講時效。火車時刻表。每兩小時的身體時辰：半夜十一至一點膽經，雞鳴一至三點肝經，平旦三至五點肺經，日出五至七點大腸經，以此類推，作息請守身體的時規。

【天】地球自轉一圈。一次晨昏上萬個心念幻滅。呼吸一萬三千五百次，活著成了不假思索的技術。麵包出爐時間表，一天兩次，挑嘴的人只吃最新鮮。等情人的焦慮度日如年。今天是我們的紀念日要送禮的時間怎麼來得這麼快。

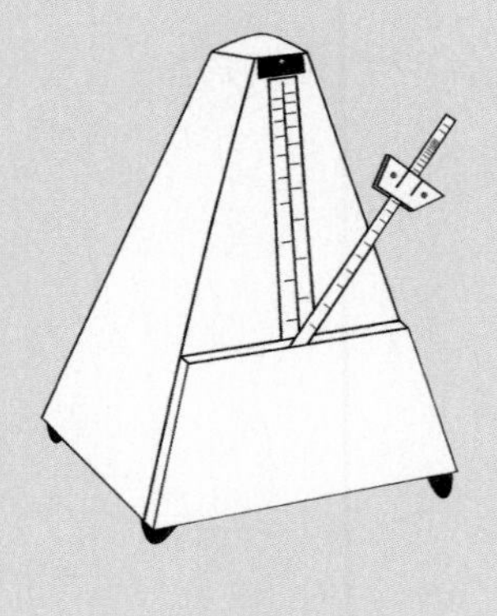

【週】我們花幾週時間把一齣連續劇一群人的一生高低潮看完。簡化的人生、拖拉的戲，鍛鍊「結局還沒來」的收視率耐性。週刊。每禮拜招惹「壹」堆狗咬人的名人黑色星期四。一週重點新聞的淘汰率。關於下週運勢我只相信瑪法達。

【月】衛生棉的潮汐擱淺。所以我們需要透氣乾爽貼身有弧度不外漏的表層，以順利接收一月一次的情緒災難。

【季】換季新裝。天氣變了，你和氣象局可能還不知道。用廣告預告天氣。設計好的新衣率先上市請你來換季，你一換上春裝春天馬上來。

【年】一種獸。樹的輪。年曆。不服老年曆還是要每年換。不計前嫌的最小單位。電影說：人一生有很多個十年，但如果剛好是十八到二十八，那就是一輩子了。所以我們要每年開一次同學會。

【回春】SK II青春露吃掉你的魚尾紋。你在越活越回去的魔咒中。你比你的老伴、同學、孩子看起來更小。離開情人最好的報復，就是把自己變得更年輕，找更年幼的情人取而代之，然後看舊情人越來越老，他看妳越來越美得遙不可及。

【謊言】光滑亮麗的髮質可以謊報年齡。洗刷犯罪嫌疑專用的洗髮精。

【生滅】電玩GAME OVER的時間觀。英國哲學家Herbert Spencer把時間定義成：那是人類總想消滅的東西，但也是最終消滅人的東西。在上帝有限的時間玩好幾回合的人生奮鬥。我和你連線競爭版圖我們的戰爭有輸有贏你下令開火我堅決抵禦但不會有人真正負傷。一直追趕與被追緝。可以不停地動用奇蹟動用科技欲生欲死。世界就剩我和你，戰士與敵人。為何而戰，為誰而戰已經不重要，刺激爽就好。

【等待】波赫士引述突倫某派玄學家的時間觀：「現在是不確定的。未來並不存在，只不過是眼前的希望。而過去也不存在，只不過是眼前的記憶」。所以我們等公車。等捷運。等飛機。等銀行叫號。等提款機。等廁所。等工作。等景氣。等餐廳位子。等一部電影。等下一個更適合的情人出現。用現在等希望。等的時間越久，所等的東西就越有價值。有時候等的時間很快，有時候則是度日如年。農民曆規定你的出沒遷動請不要不信邪請照表操課。想要好命就要等良辰吉時再出生。

【速度】往印度大吉嶺的喜馬拉雅特快車上有一段話：「慢（slow）與生（life）都是四個字母，速度（speed）與死（death）都是五個字母」。網路比頻寬比流量比點閱率比速度比看誰在同一時間下載最多影音圖檔然後比看誰早死。跑得比網路趨勢慢你很焦慮，但一堆.com在你面前暴斃而死，迎頭趕上的全是壯志未成身先死的年輕網路烈士和理想的煙硝廢墟，你還要不要繼續往前追跑？

【不懈】很忙的人永遠沒時間。覺得還有時間的人永遠遲到。有人一向守時。有人永遠工作超時。有人過度運動。有人嗜睡忘了時間在走。健身房的跑步機。在那幾分鐘內你就是流汗不懈的運動員。機器停了你總共放逐自己三千公尺遠但你還在原地你其實是薛西弗斯。

【機率】保險。很難的生命算數，只有嗜賭的保險員知道答案，那是他們的業績，我們活著的機率。沒有保險，死神就在門口等。沒有保險，你的意外特別多。

【一生】葬儀社和靈骨塔。先學會生死再學會禮節。有尊嚴地安排長眠之處像是在挑飛機座位，只是你不能再換座位，再也離開不了原位。

上癮篇

【慣性】以生理的暴食手段解決心理的殘障問題。洋芋片。一口接一口，填無底洞，片刻不離手。話匣子一打開就停不了。

【尖叫】影歌迷以瘋狂式的忠貞，消費心滿意足的精神毒品。日夜追星並如侍親般供奉偶像的信仰不移，可以殉道殉情。一看到就尖叫的反射性激動，讓景氣也盲目地衝動起來。

【分泌】我有話要說，有好多不滿要講。但在公共場合要安寧，對政治要保持緘默，在教室要安靜，在情人面前要矜持，對敵人要防諜，對陌生人要保持距離，在醫院要輕聲，在電影院要關機。自古忠言逆耳，永遠禍從口出，為了繼續保持開口閉口滔滔不絕的咀嚼假相，為了繼續分泌唾液中和口中酸性，口香糖是必要的。

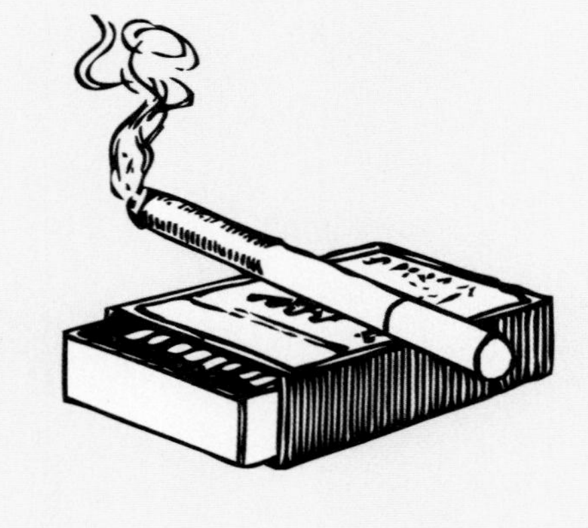

【吐納】我很苦悶。我要看見我每一口沈重的吐納都化成煙消雲散所以我到陽台抽根煙感覺微眩在高樓上騰雲駕霧。雪茄更好，味道最濃。你知道如何測出一口煙的重量嗎？電影告訴我們：吸進一口煙後的體重，減去吐煙後的體重，就是那口煙的重量。廣告在背後以聽不見的聲音呢喃著：吸煙過量，有害健康。

【陪伴】我沒有兄弟姐妹我是獨生女。但我媽我爸我爺爺奶奶輪流到麥當勞排隊幫我買齊了戀人全系列共十位Hello Kitty陪我長大。我可以不要有情人。我是想和原生家庭住一輩子的摩梭女子。

【酒】酗是一種動詞。酒則是一種易燃品，酒生火，火燃愛，愛讓人失去理智。麻痺等不到情人電話的焦慮。為慶祝而喝，為遺忘而喝。如果你常失戀酗酒成性，傷肝算是一種職業傷害。戒酒前喝無數回最後一次的酒，每一次都像壯士一去兮不復返般地悲壯。很難適可而止。酒後吐真言的失態讓你壓抑性人格當眾出醜事後很難收拾。酒徒是某種帶癮的精神病患。禁酒，情詩就會滅亡。沒有酒，她會發抖。

【愛情】電影告訴我們：人總在特殊的關鍵時刻，才會瞬間放棄那種著魔的感覺。有鐵達尼情節的寶鑽項鍊。被時間下咒的迷情物。一旦對愛上了癮，你就一輩子戒不掉。

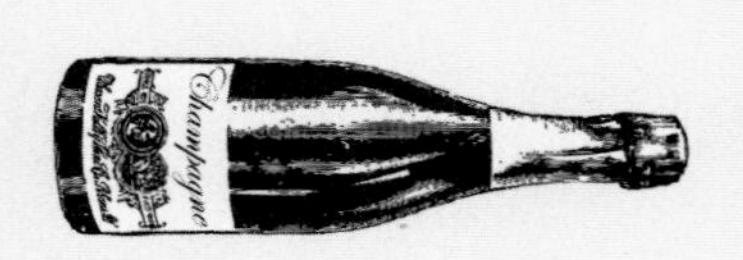

【公轉】有人說旅行是一種生理需求。不繞著地球跑、人生旅途不夠奔波勞頓，就沒有活著的感覺。

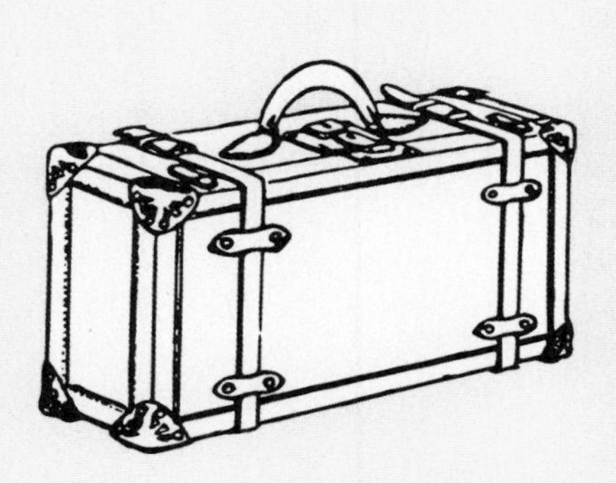

風潮篇

【階級】陸龜蒙《野廟碑》：升階級，坐堂筵，耳弦匏，口粱肉，載馬車，擁徒隸者，皆是也。高跟鞋製造身段的效果。一個資本主義者解讀馬克思教義的理解是：階級是一種集團，是生產過剩後少數人占有大多數人勞動的成果，因而產生了私有及剝削與被剝削的關係，統御大多數人，於是形成對立與矛盾。小心被手段更狠毒的情敵批鬥，被不景氣打倒。

【自信】一件有名字的設計師服裝讓沒有名字的中產階級瞬間變成走得進上流社會的菁英，讓你自願出比布料多好幾倍錢的品牌迷障。

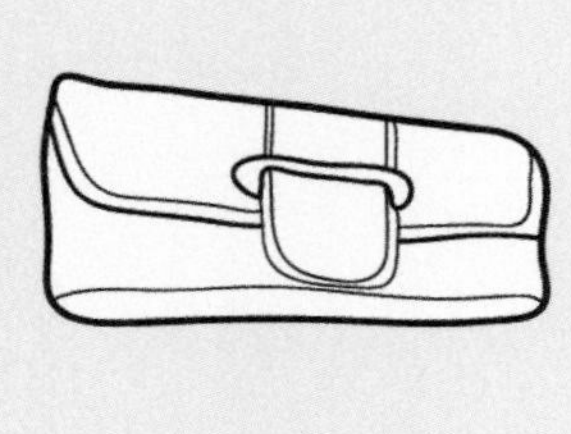

【倫理】世風之下，人心不古。我們砸上千萬的廣告費，請不道德的廣告文案、專門製造幻覺的美術、不誠實但會說故事的導演……就是要來修改不人道的倫理學：妳買我們的衣服才有權做一個驕傲的情婦而不是猥瑣的妓女。你買我們的酒在深夜才找得到有品味的酒肉好友分擔你的苦悶。吃我們的零嘴你才有勇氣罵你的老闆。買我們的洗衣粉妳的賢慧比隔壁的太太有智慧。嚼過我們的口香糖後你就可以大膽接吻，吻誰都沒關係。塗我們的口紅就可以把妳的性感唇形留在他襯衫上向他老婆證明第三者真的存在。吃我們的漢堡你才知道歡樂的美味只要四十九元一份。喝我們的可樂你會清涼有勁。買我們的除疤液你的天生胎記、青春痘疤、人生污點、過去情傷在兩週內就可以一筆勾銷重新做人。買我們的汽車妳就不用再搭男人的便車。開我們的冷氣你才能兼善天下。賣玫瑰花的老闆說情人當然比家人重要，因為前者欲求不滿他才有一輩子做不完的愛情生意。信用卡說歡迎來欠債。你的感覺就是我們的感覺，只要你維持對我們的慣性忠誠，我們賣起來就比較省力。

【知識】你在景氣的時候買的一大堆書全看完了嗎？天無絕人之路，書是你永遠的出路。這個時候你最需要有魔法的書幫你點石成金。最需要愛情的書重新點燃你的慾望你的熱情。最需要宗教的書讓你把自殺的屠刀放下立地成佛。最需要心靈的書讓你忘了股市的顛簸在床上安穩入眠。最需要詩集小說的想像力帶你脫離人生險境到有夢的地方遠行。最需要財經的書幫你打掉債台窮爸爸變富爸爸。最需要旅行的書帶你到國境之南太陽之西的彼岸避寒。最需要食物的書幫你填飽失業的飢餓感。最需要趨勢命理的書告訴你苦日子什麼時候過去。最需要養生保健的書讓你活得越久領得越多。不管經濟如何退敗，文明永遠在累進，知識沒有不景氣的時候。

健康篇

【身體復興運動】經濟不景氣，多出來的很多時間全拿去養生提前養老吧。公園的清晨最近人滿為患：土風舞的佔一角，氣功的站大樹前，韻律操的圍在涼亭邊，慢跑的在外圈繞，太極舞的則在公園中心形成最大幫派。現在談政治有害健康。關掉電視，參加一個身體的幫派，讓鮮氧、太陽、花草活絡你低迷的筋骨士氣。

【回歸山林】健康很貴。我們不加蛋不加奶油不加發粉不加人工糖精很多東西都不放你必須犧牲口感而且還賣你不便宜。德國鄉村雜糧麵包。這些德國粗麥蕎麥燕麥大麥小麥黑麥裸麥都很好賣，一出爐排隊的人就搶購一空。財富縮水房子拍

賣股票變壁紙如果一天還能吃一次最新鮮有機高纖麵包，形同吃下一座蔬果山園得道成仙外還可以賺一點健康回來。

【懶人健康法】我很不會挑水果更懶得洗水果，所以我就喝什麼蔬菜都有完全免切免洗的現榨精力湯。一天該有的營養一杯就畢其功於一役，喝完了安心了健康義務就盡了。精神百倍後就放肆地照口慾亂吃。有事，明天再喝就沒事。

【流汗貴族】健身房都在折扣，反正你現在有的時間。還好我在景氣好身邊還有閒錢的時候買一年份的健身俱樂部卡，所以現在身無分文還能像貴族一樣天天享用健康。流汗總比流淚好的新重力訓練讓自己在愁雲慘霧之中還能容光煥發。

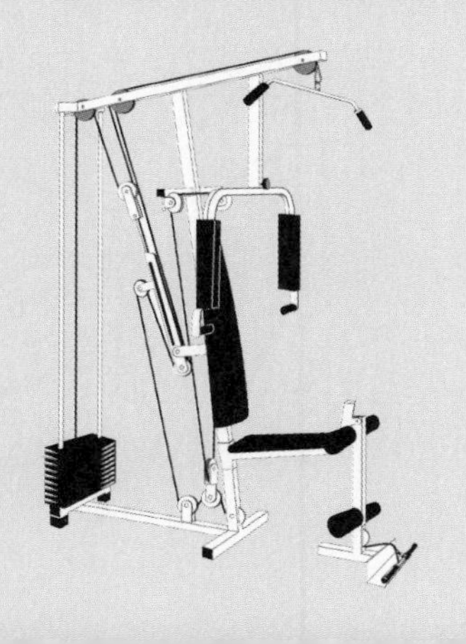

【人工樂園】ＳＰＡ有源源不絕的各式水療，讓你忘了台灣現正逢希望的乾旱。有高溫烤箱讓你找到經濟寒冬下的溫暖。躺進光能太空艙中聽著南美叢林音樂全身塗滿精油讓α線經過下視丘刺激腦分泌腦嗎啡讓你冥想快樂得如癡如狂不想自殺。

【健康業績】巴西原裝蜂膠。抗氧化維生素Ａ、Ｃ、Ｅ的營養蛋白杏仁口味混合奶。成份二氧化矽抗壞血素丁烯二酸亞鐵等草維錠一顆就搞定。營養食品讓你百毒不侵。說明書寫得越專業你越看不懂就感覺超有療效而且特別貴。健康怎麼會不景氣，反正你永遠怕老怕病怕死，推銷的人講得眉飛色舞業績還是好得不得了。

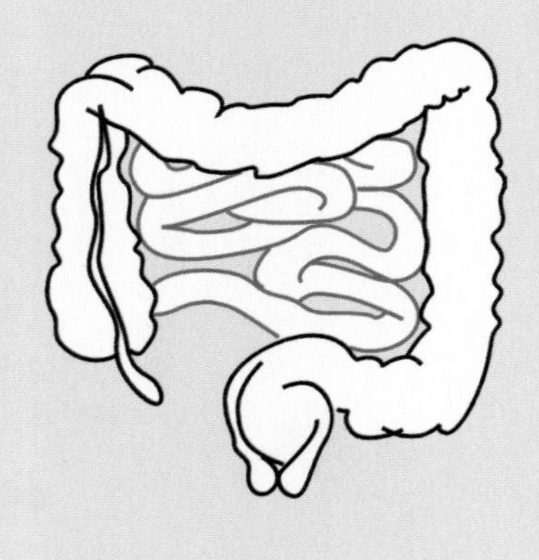

【官夫人美容秘方】洗腸子就跟洗水管一樣，常常清才環保有益健康。大腸水療。開水龍頭暖水來回沖刷一百五十公分腸子的陳年毒素，鬱結一掃而空。沖完小腹消失身輕如盈像回到剛新生的嬰兒狀態。蔣宋美齡和戴安娜等美麗官夫人永遠不老就是最好的見證。提醒你：洗一次的費用可以讓你去吃兩次台塑牛小排，請抉擇。

【溫柔鄉】疲累無力？我們幫你調了羅馬洋甘菊檸檬葉牛奶浴。ORIGINS。在家解放身體，先放鬆然後舒壓接著催眠你，保證比做愛舒服而且不必負民事責任。

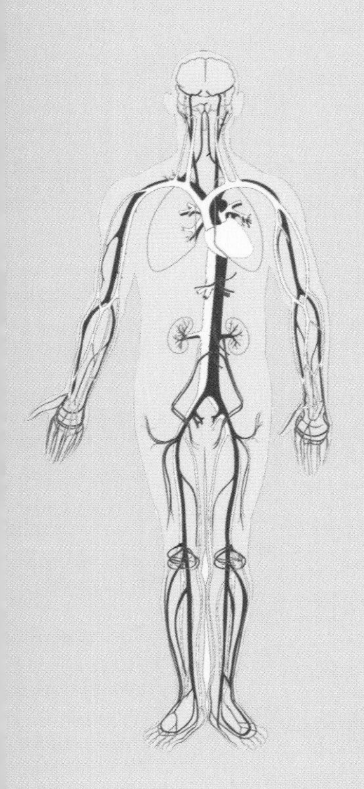

廣告商人九大罪獄

【嗜美罪】凡眼神不正、嗜愛美人、美物、以洛可可為繁文褥節的帝國品味、以文藝復興價位為姿勢經濟的優勢強權、或是對非中產階級菁英露出輕鄙之態、年收入達數百萬的創意總監們，死後必墮落至「挖眼地獄」。

【唆使罪】在市場上興風作浪、搬弄是非、顛三倒四、指鹿為馬、以有想像力的感性訴求引起貪念、迷戀、衝動、佔有欲、唆使……工作是為了消費更好的生活、消費比節省更懂得善待自己——導致五穀資源浪費、膽固醇過量、冷鮮食物過期、魚肉腐敗的這些廣告主應化身成六畜吞鐵，再墮入「毒藥坑」受淹溺窒息之刑。

【詐欺罪】痛苦的詩被文案拿去當新奇的賣點，快樂地推銷產品。人們已被震耳欲聾的廣告標語麻痺身靈思考，開始習慣輕薄短小的簡單生活。沒有人還有耐心地深度探索生命。他們從剛血拼到的戰利品找到人生的答案，對詩集已經視若無睹。大家都準時收看優雅的廣告和野蠻的廣告詞，相信買了就滿足、買了就快樂、買了就有知識……這些鼓吹愚民拜物教的廣告人，應受「炮烙暨銅叉擊射之刑」。

【誘拐罪】以炫惑言辭、妄幻影音、耽溺口味、新潮童話……連續謀略心志未熟之青少年，煽動集體消費早逝的流行、最短命的偶像，逼良為娼，持手機援助交際。叫賣「打工一個月買一件名牌才酷」的新價值觀，把他們的靈魂一一典當給物，然後推銷商品來贖回他們的安全感。這些禍人子弟無數的廣告人，應受「油鍋之刑」。

【敗德罪】淫蕩變多情、色慾變魅力、浪費變浪漫、驕傲變自信、懶惰變休閒、貪婪變野心、不滿變上進……這些大玩廣告哈哈鏡、極度戀物、偏執、善妒、著魔、成癡、成癮、成癖、竄改倫理、敗德、立神話、洗腦並大量招收享樂信徒的廣告人應下詔罪己，受「抽腸挖心」之刑。

【妄語罪】把一個個活生生的人，數據化成一個個有經濟價值的目標消費者。以運動精神賣鞋，以行動力賣車，以家庭歡聚賣火鍋料，以女性自覺賣衛生棉，以尊榮賣信用卡，以自信賣化妝品，以友情賣酒，以健康賣藥，以愛情賣首飾，以快樂賣可樂。鬼斧神工的文圖在誇大不實的法律邊緣游走，以不道德的偽詐偽證把戲，製造奇門遁術式的減肥、戲劇性的美白奇蹟。把全城的靈魂搞得比肉體廉價，到處散播廣告福音的廣告傳教士早該下地獄，受「石磨肉醬之刑」。

【毀謗罪】以比較式廣告誤導消費者，甚至暗喻、反諷、攻擊競爭品牌，以視覺魔術、文字騙術轉移焦點的廣告大說謊家，應受「拔舌穿腮」之刑。

【貪婪罪】用不過一年的垃圾商品越來越多，虛榮大量霸佔妳的衣櫃、他的儲物空間。復辟羅馬奢華末日以謀不義之財，處心積慮用物系流行建構你生命周期極短的自戀盛世。廣告在製造你的慾望而不是滿足你的慾望，讓你永遠落後、永遠焦慮、永遠失意、永遠自卑、永遠求不得苦。你得按季向設計師高價購買不打折的自尊，在衣冠楚楚的鏡子前面才看得見自己。那些「在不景氣之時趁危打劫，濫發信用卡以誘惑過度消費未來春秋大夢，導致使用者不負責任地破產破財、家庭不

睦、家破人亡，而卻只擔心越來越多自殺人口會不會影響到市場佔有率」的這些廣告奸商，應受「走火地板三百里之刑」。

【淫亂罪】鼓吹酒色財氣、頹廢、亂性、亂倫，或是做強烈性暗示、情色冶艷廣告讓人忘了矜持的美德，刺激一個野性的女子對一件好內衣比對一個好男人更堅貞，以致越來越多的癡情男子都以死諫做很俗氣的告解殉道，讓這個城市每天上演太多的情殺、太少的情愛……這些不擇手段的廣告藝術家，應受「鼠咬閹刑」。

罪行重大，身陷第十九層地獄的廣告人，受刑後將再被轉輪王判為卵生，成為禽獸魚蟲輪迴受報。盛衰無常萬事空，陰路只有孽隨身，還是早日頓悟轉入慈善事業，放下廣告屠刀立地成佛。

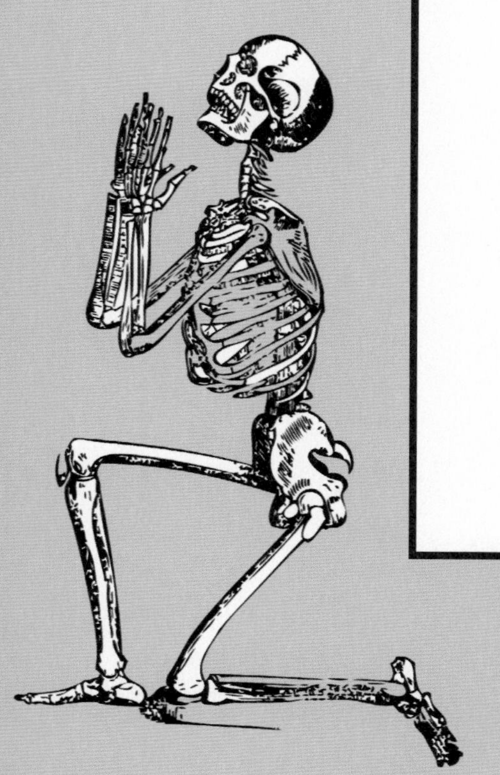

流行商品之百科辭典

廣告文集一年後的快樂告別式。

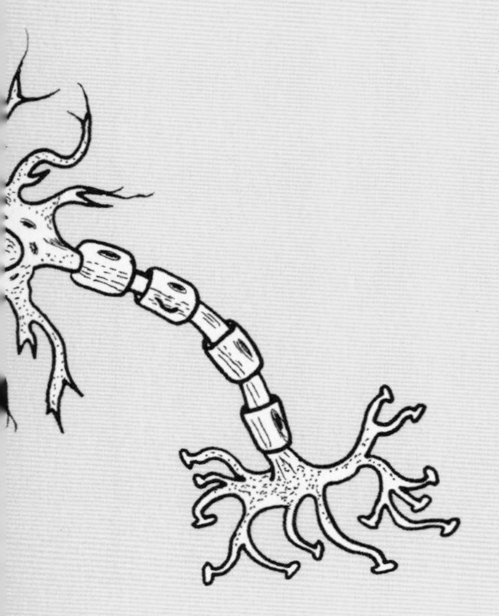

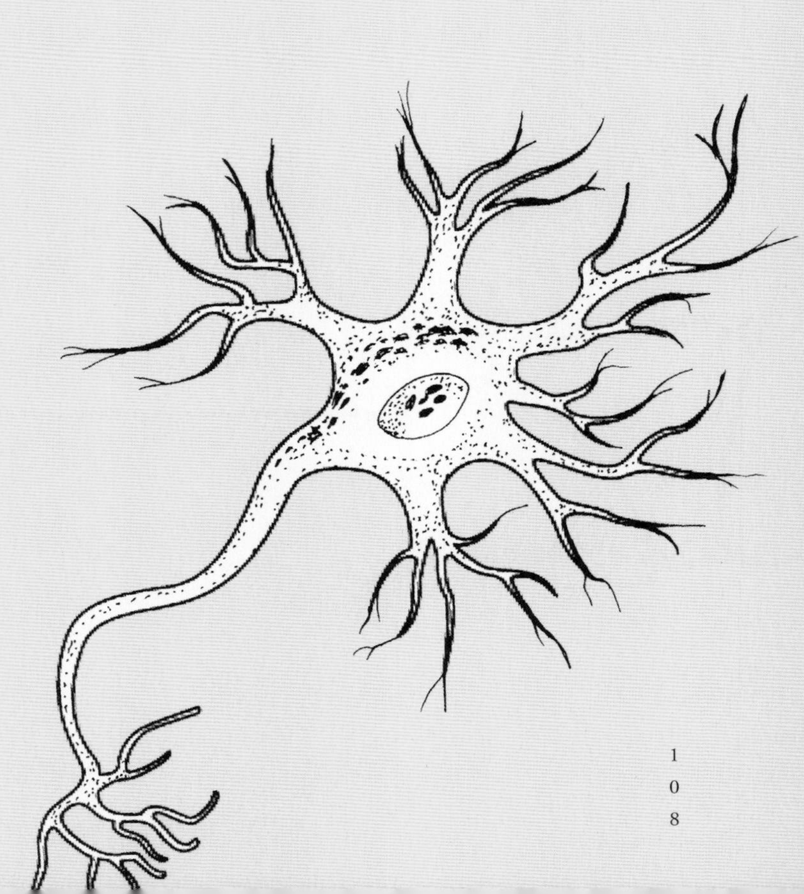

一年了。這一年變化真大，台灣由盛到衰，只要一年。我一向不喜歡與人有固定關係，在聯合報副刊的「黑色廣告文集」專欄，讓我開始學會什麼叫責任感，無論生病、住院、戀愛、失戀、出國、閉關、中醫考試、博士班考試、房子裝修、電腦當機、憂鬱消沈、躁症亢奮、生理期疼痛、有靈感、沒靈感……，只要我還活著就沒有藉口，絕對得按時交稿。我原是一個上課會翹課、約會會爽約、一出國就失蹤、愛情不超過九週半熱度的人，經過這一年的牽制，我已經有類同「父母在不遠遊」的高度孝感，只不過可憐了聯副的文編婉茹、美編泰裕，總要到致命時刻才收到稿子，然後趕得昏天黑地讓讀者看不到任何一次的開天窗，天佑這些守責的夥伴們終於要脫離苦海了。

過去歷經種種的私人情緒、對消費體系現象與價值的批判、對熱門商品的反諷，都藏在這一年來的黑色廣告文集裡。我對廣告又愛又恨，愛的是它的多變、以及每次都有重新點燃興趣再次愛戀的感覺，恨的是明知道這些標榜「給鑽石喜餅就是給一輩子幸福、辦信用卡就可以提領希望未來、開好車才有先馳得點的行動力、住有游泳池的別墅才享尊榮待遇……」的廣告詞，以及照行事曆節慶刊登的廣告圖稿背後，都有一張嚴苛老闆訂好的業績表，都是文案與設計串通好了的華麗圈套。

從專欄一開始如懷子般的興奮、後來如難產般的痛苦、到現在望子飛離的不捨，都是點滴心頭的苦樂情緒，無法傳述。謝謝聯副的海量，讓這個與廣告雜交的變種文體，在安靜高貴的純文學版面上，穿著七彩的舞衣喧鬧了一整年，讓二〇〇〇到二〇〇一年間，有二十四／三六六的機會我們可以在報上相遇。

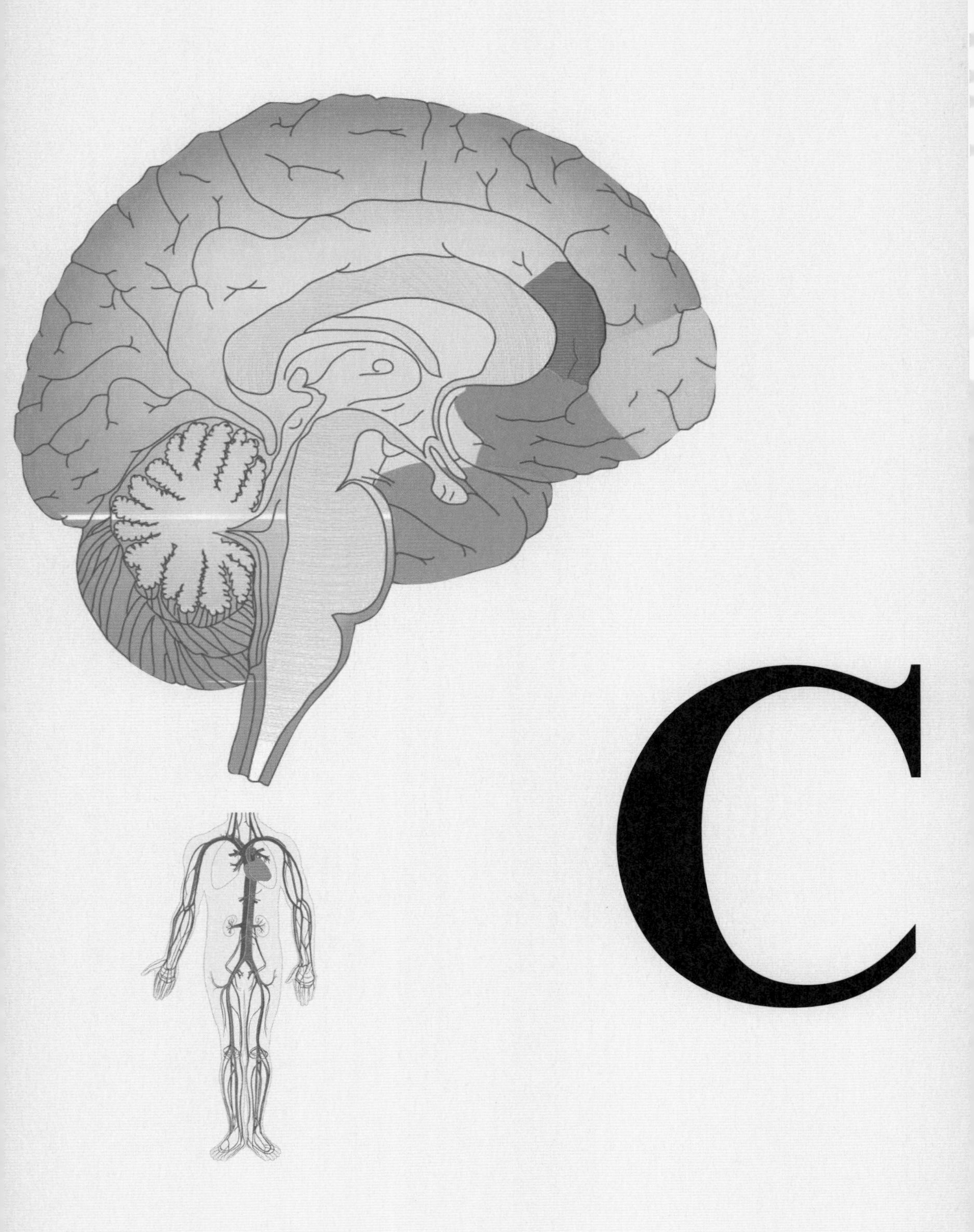

C

虛擬商品夢幻圖鑑

面對無趣的東西發想創意是痛苦的，如果憤世嫉俗的廣告人對現實不滿，就動手DIY，完成一件符合身心慾求的虛擬商品，讓自己逐年降溫的廣告熱情死灰復燃，見獵心喜。

ON SALE

dream

STORE

可以看見前世今生的電視機

可以收到別人心事的隨身聽

可以和去世的人通話的手機

迅速吸除病痛的吸塵器

大徹大悟的人生眼鏡

一筆勾銷的毀約掃描器

縮小備份的財產提包

會魔法的信用卡

星際旅行社

可以看得見前世今生的電視機

或許你長期失眠的原因不是貓叫春，而是前世你是連夜加班的紅牌妓女。每次開會前必胃痛，不是只是忘了吃藥而已，而是在前世的戰役中，腹部中箭的舊傷復發。

第一次到北京紫禁城就知道廁所在哪裡的似曾相識，那是因為大清時代，你在這裡做了五十年的太監。

千年而古老的智慧，與飛快的新科技不謀而合，殊途同歸。趁左腦還沒醒，用右腦和搖控器跨時空搜尋，在有靈性的電視機裡，找到儲存前世的數位黑盒子——究竟上一世留給自己多少的天份福份可供享用？現在正取悅的辦公室情人，上輩子是不是欠她一屁股債，這一世要用珠寶別墅來償還？這一世到底還有多少前債未清？有多少的人生功課要修？請打開這台可以看前世今生的YES-TODAY牌電視機，高速快轉自己精彩無比的生動前世，溫故知新。

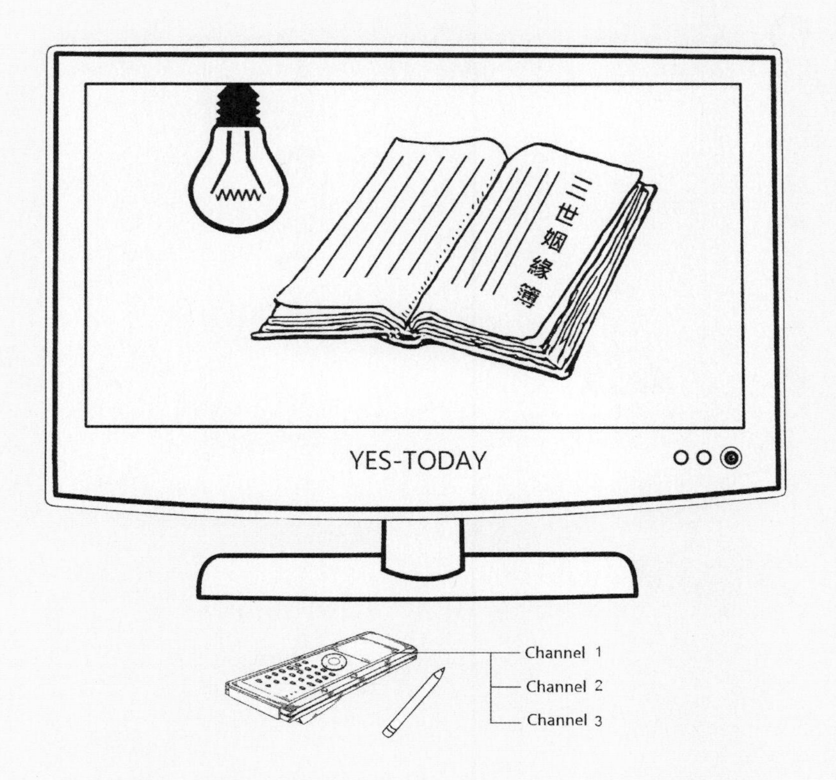
三世姻緣簿
YES-TODAY
Channel 1
Channel 2
Channel 3

YES-TODAY TV

免催眠、保密性高

步驟3 播放結束前，會在螢幕上打出你與對方的關係債務單，例如：

關係結算：

現在：第四世：二〇〇〇年，作者與出版社的關係。

清算結果：因第三世徐X摩墜機早逝，債務未清，故進入第四世。

目前徐尚欠曼28年，預計分成第四、五、六世，共三世還清。

特異功能

A了解自己——

步驟1 用光筆在搖控中，輸入自己的生辰八字。
步驟2 畫面即刻顯示你的前世簡歷表：
姓名：XXX　　前世歷經：64世

64世細目如下：
第一世：侏羅紀時代，英年早逝的女暴龍。
第二世：洪水時代，諾亞方舟上的那一頭公象。
……
第六十三世：瘟疫大流行時代，被火燒死的法國女巫。
第六十四世：21世紀蘇聯男飛官（後來變性）。

請輸入欲收看之第____世節目內容

B搞清關係——

步驟1 用光筆在螢幕上，輸入自己和對方的名字、基本資料、現有關係，有生辰八字或身體特徵更好。
步驟2 搜尋完畢，螢幕會立即顯示你與對方之前的關係圖，例如：
搜尋目標：徐x摩與陸x曼　　共同關係歷經：三世　　三世細目如下：
第一世：秦朝：咸陽城內住在隔壁的鰥夫寡婦。——完整版48小時(a)
——精華版6小時(b)
——提示版30分鐘(c)
第二世：明朝：大夫與麻瘋病人的關係。——完整版18小時(d)
——精華版6小時(e)
——提示版15分鐘(f)
第三世：民初：知名詩人與第二任妻子。——完整版20小時(g)
——精華版5小時(h)
——提示版25分鐘(i)

可以收到別人心事的隨身聽

很羨慕溫德斯《慾望之翼》裡，可以聽見別人心事的天使嗎？
雖然覺得電影《紅色情深》的偷聽是不道德的，但有朝一日老的時候，
不失為排憂解悶的好法子。

把徵信社的錢省下來，買一台Walkmind牌隨身聽，
可以隨時監聽老婆的電話、小孩心裡的抱怨、老闆對人事的盤算、
愛犬的饑渴、情婦的慾望、馬路上即將發生的謀殺案……。

想要心有靈犀，準確感應，
這一台改良自順風耳技術的Walkmind，
二十四小時收聽重重心事，百分百地善解人意。

一生誠信保固・24小時維修服務

Walkmind

Listen to everyone's heart

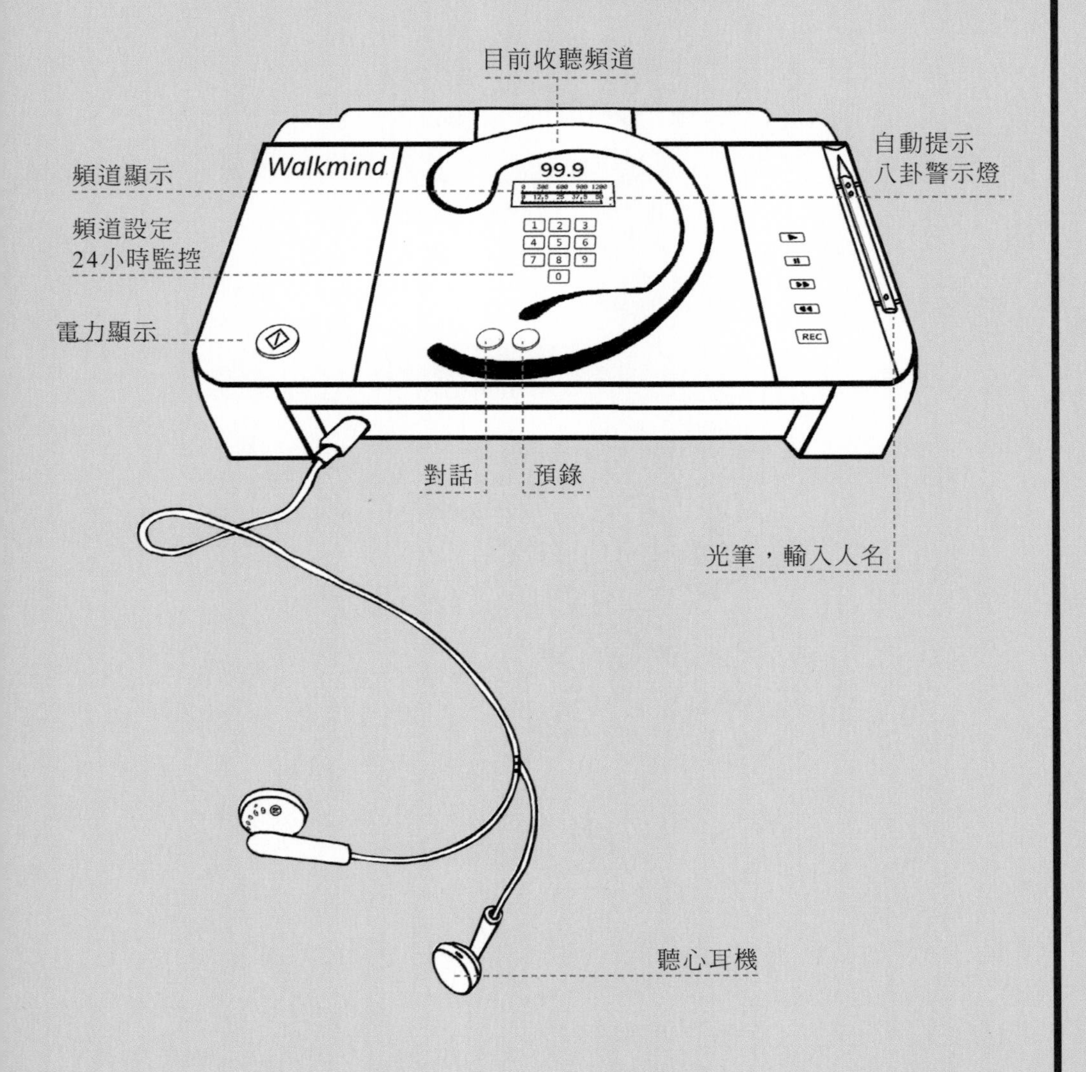

特異功能

A頻道設定

設定自己想聽對象的專屬頻道
例如：

1情婦	2情敵	3老闆	4兒子
5愛犬	6老婆	7路人	8倒會者

隨時監聽他們的秘密心事、煽情對話、最新的預謀……。

B自動提示

如果有大爆冷門的最新內幕，或是驚天地「氣」鬼神的小道八卦，
Walkmind隨身聽會在那人的頻道上，依獨家的程度，
出現不同聲響的警示訊號，
提醒你及時收聽，以掌握恐嚇取財的第一良機。

C預錄功能

如果現在正在開會、喝喜酒，或是正在洗男子三溫暖，
可以設定預錄功能，回到家再repeat大股東的陰謀、新娘的鬱卒，
或是同澡堂帥哥的真情告白，
防人之危或是不流血地橫刀奪愛才算夠高明。

D車上播放系統

一個人開車，不用戴耳機，將Walkmind插入車內音響系統，
就可以邊開車邊聽八卦，實況轉播，原音重現。
隨時掌握第一手人際情報，還可以第一時間捉X在床。

E對話系統

按下對話系統鍵，妳可以與之心靈對話。
他會以為天使、高靈、指導靈隨侍在側指點迷津，效果宛如天聽。
妳可以予取予求，讓他中了邪似地對妳百依百順，天然洗腦完全不留痕跡。

可以和去世的人通話的手機

西方先知Raymond Moody說，生命不是在去世時就結束的，
確實有「死後的生命」。

當歐美開始流行降頭術，葛拉漢貝爾（Alexander Graham Bell）已經預言：
將來活著的人可以用電話跟剛去世的人溝通。

失去愛子的母親，想要看她的寶貝在天堂小學過得好不好；
五歲就沒有父親的孩子，
想要在十八歲生日時親耳聽到爸爸說一聲「生日快樂！」
第六感生死戀的思念無限遠傳，
渴望看得見聽得到的未亡愛情，現在都能如願。

全球第一支可以和去世的人通話的手機——
「See-You」牌行動電話，

讓您把來不及交待的感情、還沒說完的心事、
一生無盡的愛、隨時撥通思念，
繼續向另一個世界的親人愛人敘舊，生離死別，不再兩盲茫。

子欲養而親還在，夜深了，
打個電話給在天上的家人報平安吧！

See-You Phone

免費觀落陰・Just call me

迷你錄影音裝置，會將你的視訊畫面，同步傳輸至對方的手機中，彼此都可以睹幕思人。可接至電腦，剪輯成Home Video。

「喂！老伴，我在這裡買了房子，你什麼時候搬過來住？」

「老媽，幫我把戶頭裡的5000塊零用錢燒給我好嗎？這裡很無聊，我想買一台任天堂解悶！」

狀態：轉世中。

「小楓啊！我快要投胎做妳的女兒了，你可要好好孝順，對我好一點！」

【特異功能】

1 機上可用：

除了飛機上衛星通話設備外，全球唯一獲准在飛機上使用的私人行動電話……不僅讓你的思念不中斷，通話費還依飛行高度，而有大幅的近距離折扣。

2 來電顯示：

如果你將相對應的姓名、遺照存檔於電話簿中，來電時螢幕會出現人名、照片而非電話號碼。

3 影音信箱：

如果有Miss Call，你可以事後收聽／收看來自天上的Miss You訊息。

4 上網功能：

a 可定期舉辦線上追思敘舊會，將手機螢幕投影在教堂牆上，所有人都可以瞻仰生動的遺容！

b 未知死，焉知生？如果對愛因斯坦的相對論不解，或是有話想問林徽音，就上網進入聊天室，有問必答。

5 畫面顯示：

可收看近況，音容宛在。

【情商優惠】
生死無常，話加長有方。
去世後七七四十九天內，網內互打，一律半價。
現在預約申請，將來還可享「頭七免費通話七天」優待！

迅速吸除病痛的吸塵器

病從口入，就想辦法病從口出。

電影「綠色奇蹟」的巫師，口對口吸病。

中國的氣功師手貼你的背，運氣治病。

現在，

一台插電就啟動的「S-Witch除病吸塵器」，

小至感冒傷風，大至腫塊絕症，

這些在你體內持續暴動，不肯休兵的頑病病痛，

在S-Witch之前，都轉化成粉末，

一吸就乾淨；

從此不必靠紅包買醫生的同情心，

讓你有著女巫加持的自癒能力，

輕鬆而有尊嚴地終結身體裡的烽火連連。

本來無一物，何處惹塵埃——
除了灑掃庭除之外，也要記得定期幫身體吸小病、掃餘毒，
做好每天的身體環保！

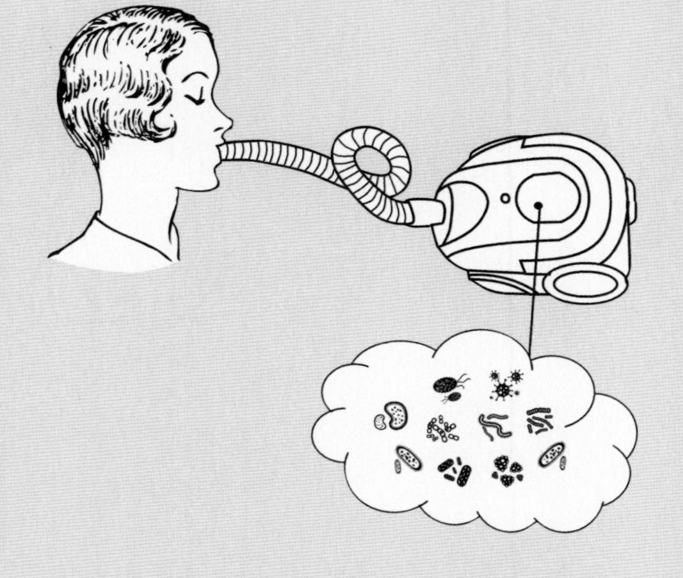

S-Witch

迅速吸除病痛的吸塵器

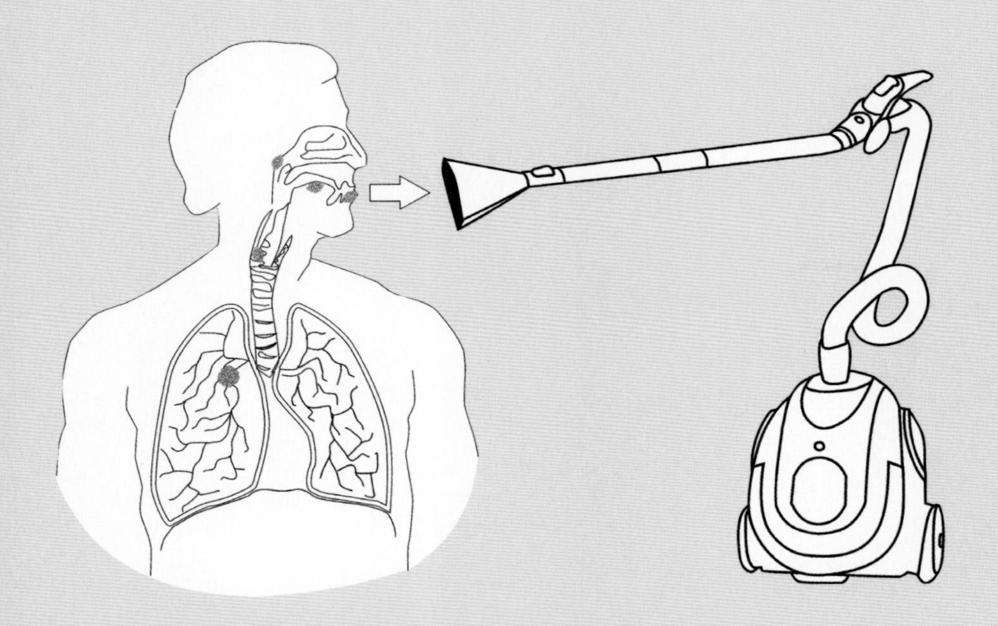

特異功能：

吸病透明化，積毒多深，一目瞭然。

真空包裝，吸畢後會自動消毒殺菌，不會二次感染。

免健保，免吃藥打針，一袋可吸病20次以上。

人稱：醫師終結者。

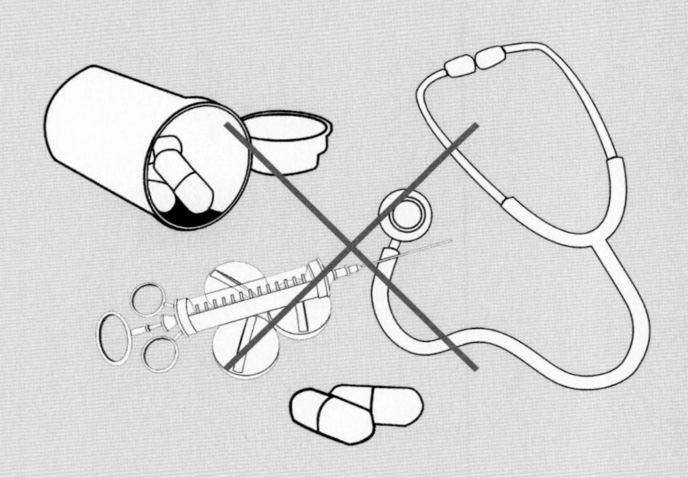

大徹大悟的人生眼鏡

我們總是要花一輩子的時間，
吃過很多虧，摔過多次跤，被騙無數次，吃足了苦頭，
才終於看清一個人，看懂真相原來如此，到最後一秒才大徹大悟。

現在人類有希望活超過百歲，
如果還是這樣跌跌撞撞過一生，
恐怕直線上升的自殺人口，
會讓致力於長命百歲的科學家白忙一場。

如果可以下載得道高僧洞悉人生的智慧，
如果能藉助科技的力量迅速頓悟，
我們將提早進入四十不惑、六十耳順的境界，
自在地享有更長的隨心所欲不逾矩。

由西藏高人研發的True-Life眼鏡，
具有像電影「綠色奇蹟」般的神效：
只要是你感覺不解的疑點，

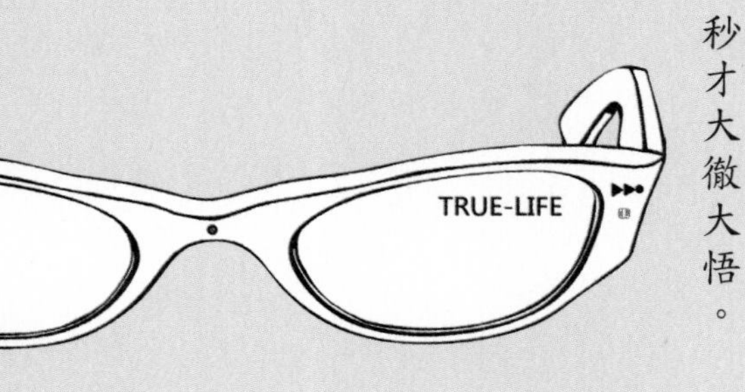

都可以據實全程重播真相，沒有人能掩飾罪行。
戴上這付眼鏡，不必翻人物志，不必懂男女面相，
看各說各話的羅生門緋聞，一眼就知道誰在說謊。
看被綁架的新聞，你比憲警更快知道兇手是誰。
看一棟完工的大樓，
只要花一分鐘，REW▼▼往前看樓起，FF▲▲往後看樓會不會塌，
快速瀏覽它施工的過程，檢查有沒有偷工減料，
然後再決定是不是要下十萬元訂金，以免一失手成千骨恨。
眼前即將發生關係的未來情人，為了避免遇人不淑，後患無窮，
趕快載上眼鏡，看她將來分手會不會報復你。
你還可以看到這個街口多少人命喪輪下、下一輛酒醉車離你多近，
除了避災，你大概還會拿它來看盤看先機。
True-Life眼鏡，
可以實現古人所言：未經混沌先開竅。
歷代高僧的頓悟、體驗、功力、智慧都鑲進眼鏡晶片裡，
不僅趨吉避凶，也能幫你了生死，輕離別，少受點冤枉苦。

True-Life Glasses

另備有隱形眼鏡、太陽眼鏡、老花眼鏡……歡迎參觀、試戴、選購。

True-Life也可以當超薄型數位攝影機使用，
眼前的事件、風景、美麗佳人，
只要你想留下的眼光視線，
它會依你的想望馬上on-line，幫你捕捉每一秒的生動畫面。

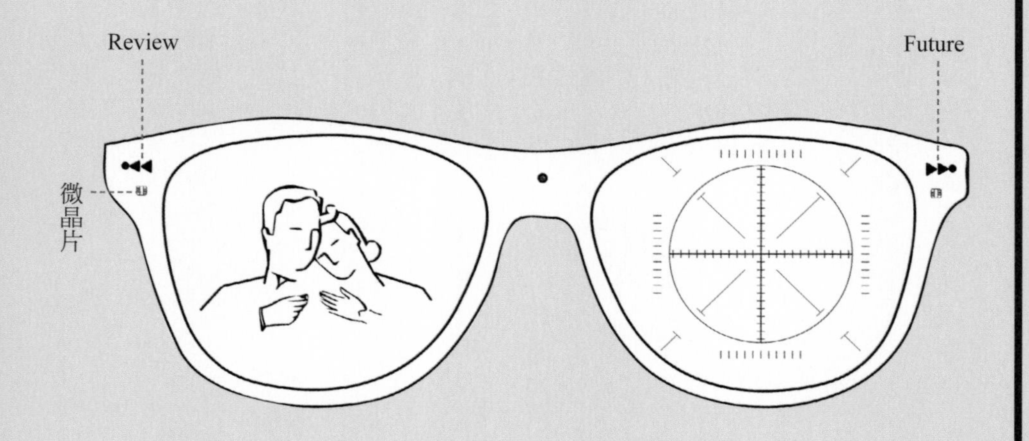

特異功能：

微晶片
儲存所有影像，包括過去、現在、未來，
還可以接上電腦，把你腦海中現場目擊的獨家畫面，
傳給朋友、電視台、歡笑一籮筐、或是警局都行，
從此不怕智慧型罪犯湮滅證據，
這眼鏡看到的都是事實，法院都會採信。

◀◀Review

看過去，看過程，過往不再如雲煙，
按一下Review，凡做過必留痕跡，
一切清清楚楚，心機明明白白。

▶▶Future

看未來，看報應，以後不必再碰運氣，
按一下Future，將來會如何都一目瞭然，
從此不必再求神問卜。

一筆勾消的毀約掃描器

我說的「永遠」，只到昨天為止。
和妳約定的「幸福」，在今晚午夜十二點就失效。
一次地震就把愛情的海誓山盟全部移位，
許給你的未來，永遠也不會來。

婚約、馬關條約、不平等條約、不想再履行的合約、
一時被激情衝昏頭的情書、誓言、小字條……
只要放入這台「dis-a-paper」可以一筆勾銷的毀約掃描器，
你就可以任意圈選修改、消掉你不想再看到的條款，
你要的自由，
「dis-a-paper」都可以還給你！

dis-a -paper

dis-a-paper

掃描模式設定

掃描模式24-bit彩色

掃描來源：合約副本

修定範圍：世面上與這文件相關的所有文件、

影本、備份……包含合約正本。

影像解析度：300

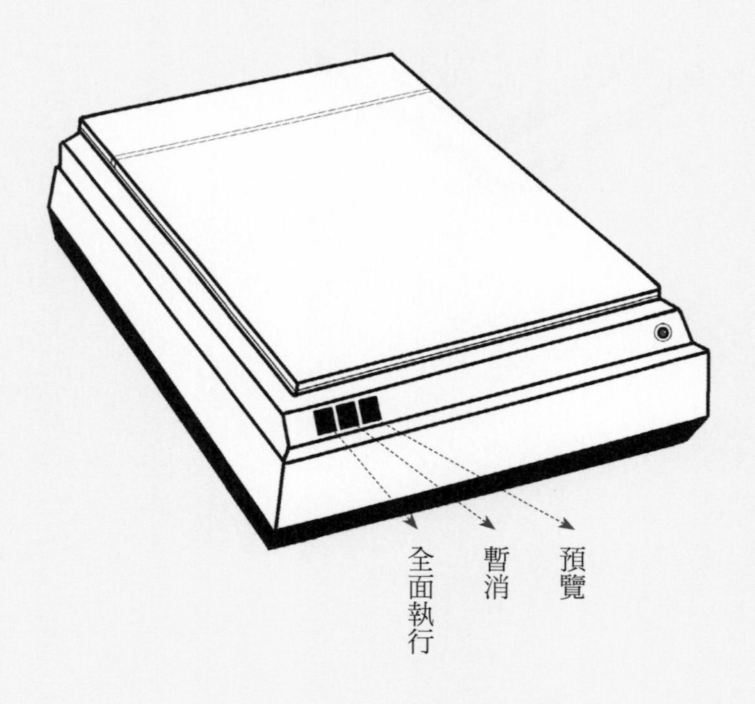

使用步驟

1　將文件放入毀約掃描器裡。

2　選擇較低解析度，預掃文件。

3　以「修改框選區」選擇你所需要修改、或是欲毀去的圖文部份。

4　修改完畢、預覽無誤後，按下「全面執行」鍵，「dis-a-paper」將徹底執行你的指令，連對方的文件，以及留在世上所有相關文件也會一併被更正；錯誤的過去、潑出去的誓言都可以一筆勾銷，完全不留痕跡……一言既出駟馬能追，保證天衣無縫，比修正帶還好用。

特異功能—失蹤專用

在「完全失蹤手冊」中，「失蹤」的定義是：靠自己的力量，主動和原來的日常生活環境隔絕。如果你想和電影〈迷走愛情〉的飛行員一樣，徹底地消失一陣子而不被查覺，請把相關的身份證明文件，掃入並存進「暫消」的檔案中，所有在世上與你相關的文件、消息都會全面消失，所有人對你都會暫時失憶，直到你回來打開檔案為止。假如你想要變換身份，也可以自行更改基本資料，不必大膽整容小心變性，就可以順理成章地偷天換日一個新面貌，換一種新身份新生活。

縮小備份的財產提包

天有不測風雲，電腦有旦夕禍福，文件要存檔，財產更要備份。

十年積蓄十年生聚的房子、性能比自己還強的心愛跑車、
藏了一世紀的傳家珠寶盒、五折清倉搶購的名牌大衣……
平日保養再三，
也敵不過一場火災、一次水淹、百年一見的大地震。

救濟金買不回原物，保險金平復不了傷痛，
想要千金不必散盡就能還復來，一切失去都能再擁有，
只有這款「Sure Case」牌保久箱，
它擁有將實物縮小備份的超能力。

有危機意識者，請先將愛車留個備份吧，
萬一車被人撞壞了，不必找人理論，不必求保險公司理賠，

用還原條碼將備份放大，就有一台如假包換的愛車在眼前。

大地震之後不必等危樓鑑定，不必住帳篷，
只要人活著，幾秒鐘之內就可以原屋原地，
瞬間重建家園，比慈濟還快！

是我的，誰都搶不走，
有了「Sure Case」牌保久箱，
天要亡我財產，哪那麼容易？

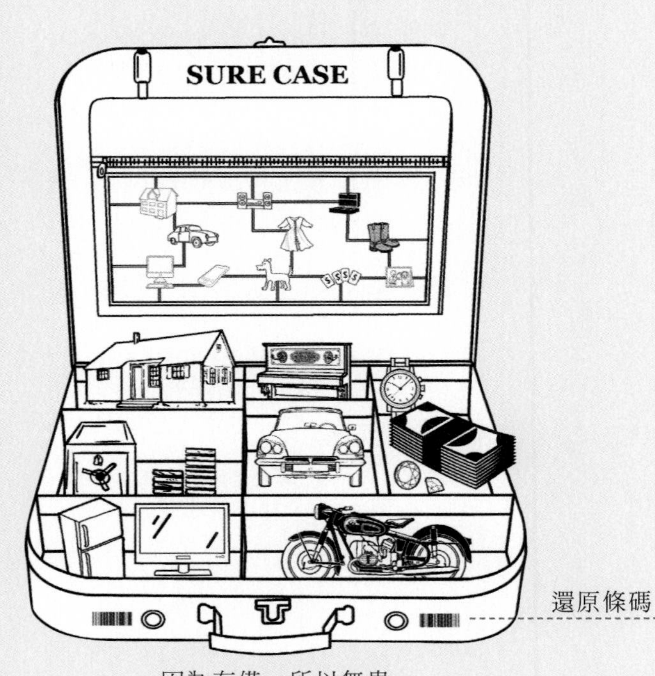

因為有備，所以無患

Sure Case

縮小備份的財產提包

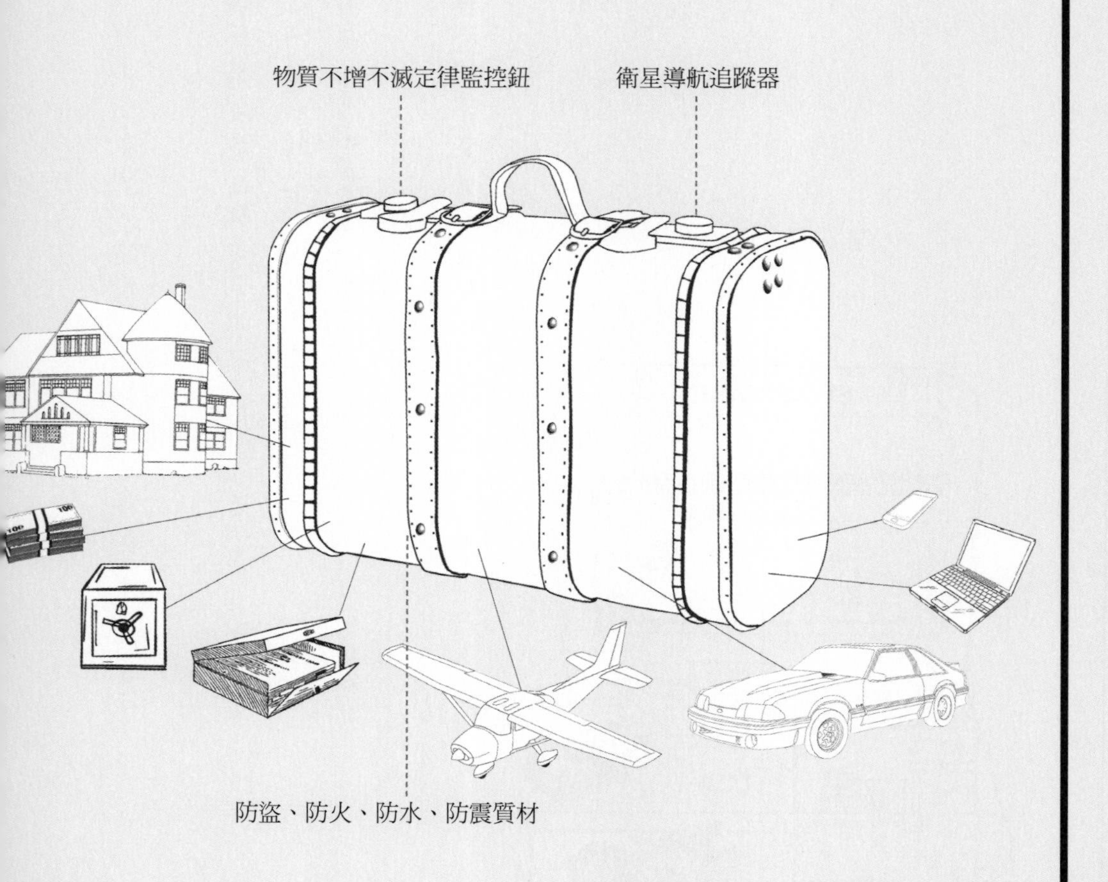

特異功能：

【縮物條碼】

凡掃過必留備份。

現在請動手將房子、車子、傢俱、書籍、情書、私房錢、珠寶……生不帶來，死要帶走的動產、不動產全都在「Sure Case」牌保久箱中存檔，哪怕失竊、火災、核爆、水災、地震……只要能「量子」還原，就萬無一失。

【還原條碼】

塞翁失馬，用還原條碼，連尋馬啟示都不用貼，就可以立即重現。萬一原馬跑回來了，只需將備份縮存回去即可。

切勿起貪念，將現金或財產的備份無故複現，根據物質不增不減定律：不道德的增資，會讓加倍的財產，因擴張過度，而各稀釋成只有一半的價值。

會魔法的信用卡

中國飛天的俠女、歐洲顯示神蹟的聖女、被妒火燒死的女巫……
這些不是在電影裡的特殊情節，而是女人可以善用的千年超能量。
只要我們恢復功力，
就可以提前過著女權至上的自由生活。

遇到感情挫折，妳可以打開天眼，
選擇洞悉因果的智慧，
也可以選擇讓他生不如死的私刑報復。

遇到投資失敗，妳可以點石成金，償還債務，
然後恢復妳前世會預言的能力，先知先決。

瞬間的勇氣，能無中生有，而且立於不敗……

這是一張會魔法的卡，
可自由提用前世的能量、超能力、未用完的財富、
以及對方欠妳的恩情，
不必有家世、毋需靠男人，現世就自給自足。

趨吉避凶是自求多福的生存之道，
怪、力、亂、神是二十一世紀的自在法則，
不凡的妳從現在開始改變命運，請立即擁有
全球限量的女巫卡。

Witch Card

女巫卡

（男人可申請巫師卡）

本卡優點：

1. 這是一張有輪迴觀的信用卡，上輩子多積的陰德，可以這輩子享用；這輩子花不完的，也不必急著找繼承人，下輩子還可以含著金湯匙出生，多幾年清福，少奮鬥二十年。不管是財力還是功力，都將存在你的巫師銀行裡生利息。

2. 從信用卡上只需碰觸晶片，就可以在相片框中顯示目前的財力及功力指數。平時相片框中呈現的是現在式的、動態的你，所以收銀小姐在相片框中看到眼前的你，就知道是本人無誤，以防被盜用。

3. 只要帶著這張魔法卡，你將擁有靈異第六感，可以選擇看到魔法世界，豐富你的人生！

現在申請，立即享有：

1. 從你的輪迴中，免費為你的財富與法術功力大檢測，讓陳封已久的潛能，現在都派得上用場。
2. 申請成功者，即享有一年期的水晶球預言電子報、個人專用秘笈、魔法巫術課程（亦可選擇魔術課程）；以後每年消費達十萬元者，可免費享有次年的進階課程。
3. 普卡者可獲贈隱形斗蓬乙件，金卡者可獲贈具有催眠功能的飛天魔杖一只。

另外，有東方慧根者，可選擇即將推出的道士卡、高僧卡

申請成功者可享有一年期的功、法、術精進課程，包括：易占、紫微、科學八字、仙道、通靈法、經絡學、氣功、穿壁功、輕功、練丹、念力移物術、他心通、天眼通、遙感測症、中醫針灸、特異功能治病、起死回生術……歡迎以心電感應洽詢。

星際旅行社

天上方三日，地面已千年，
無限大的宇宙，我們怎麼可能安於倪匡的科幻小說
和兩、三小時的星際大戰首部曲？
環遊世界只要八十天，剩下的時間，我們必須去星際旅行。

得了絕症，就到更文明的星球去治療，
厭倦了男人、女人，就出去找外星人，
到億星級的星球餐廳吃飯，看著繁星無限的奇景，猶勝人間美女。
多幾趟星際旅行，氣度與視野無界，
太空中浩瀚緩慢的時間，還可以保你青春不老。

今天的一小步，是你明天的一大步。
全球第一家，不用花費天文數字，
就可以親臨天文之美的星際旅行社，現正開放冒險中！

北極星一光年之旅：五〇〇，〇〇〇元

火星十日遊：三五，〇〇〇元

Tour

社

- 星際新聞台
  各座位前均配有星際數位攝錄影機，
  可隨時將近況和太空歷險記傳回地球上的親友
- 各星球美女輪流上艙服務
- 另備有一到四人自助旅行太空艇
  如果你有星際駕照，還可以使用家庭式星際休旅車，
  安排幾次道地的星際野餐
- 回程時光機
  可隨時以蟲洞瞬間躍回地球，重返人間。

Spa

星

旅程配備：

- 從螢幕上就可以直接點選該星球的詳細資訊、風險評估、
  氣候、節慶娛樂性指數評估、旅客體能適應評估……。
  一旦決定登陸，太空衛星站則自動導航。
- 太空聯軍全天候協防的星際防衛網
- 超光速太空快捷道導航系統
- 頭等艙、商務艙、經濟艙
  冷凍睡眠機暨減壓美容床艙
  AIR CLUB：CASINO 、PUB 、健身房、三溫暖……應有盡有。
- 地球原味餐廳、星球餐廳美食導航系統

Space Tour

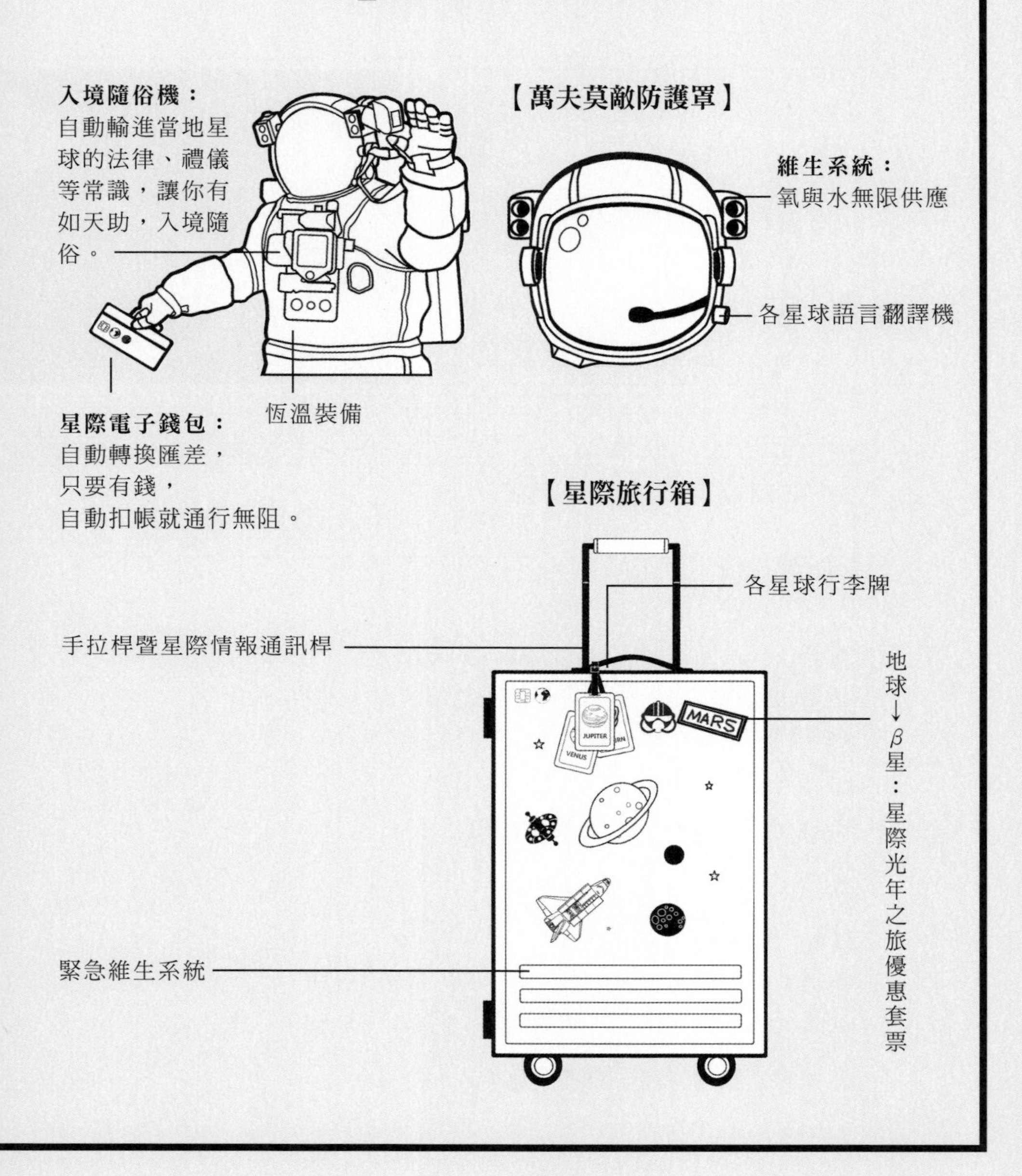

入境隨俗機：
自動輸進當地星球的法律、禮儀等常識，讓你有如天助，入境隨俗。
恆溫裝備
星際電子錢包：
自動轉換匯差，
只要有錢，
自動扣帳就通行無阻。
【萬夫莫敵防護罩】
維生系統：
氧與水無限供應
各星球語言翻譯機
【星際旅行箱】
各星球行李牌
手拉桿暨星際情報通訊桿
地球→β星：星際光年之旅優惠套票
緊急維生系統
JUPITER
VENUS
MARS

【星際旅行社服務項目】

1 星際之旅個人行程規劃建議服務，備有資料豐富的星際網路圖書館，並提供適合地球人出遊的TOP100星球簡介帶，以提供虛擬體驗，最終決策之用。例如：火星泥回春之旅、α星高氧美容之旅、水星音樂會之旅、高文明醫療之旅、星際紅娘—月下老人之旅、星球美食之旅、星際節慶之旅……等，選擇多元，應有盡有。

2 聘當地外星人為Tour-Guide，不使用免稅店的交通工具，以方便省時的蟲洞接駁方式，保證專業深入。

3 星際旅行，全程有專業太空人隨行，醫護隊隨侍在側，讓您享有御醫般的照護。

4 艙上免費提供「星際數位攝錄機」，隨時可將近況傳回地球。

5 全程配合當地星球風味餐，頭等及商務艙並附設地球風味餐廳，以解思鄉之苦。

6 淡旺季、冷熱門星球價位表公開化。（但不保證不與其他外星人併團）

7 代辦免簽證星際通行護照、星際移民等相關業務。

8 每人均附贈千萬星際意外險，全程有星際防衛網監控協防，並有反劫機自衛裝置。

【追星族優惠】即日起至12月底止，凡預約任何一種星際之旅，就送：

1 可顯示當地時刻，自動調整生理時差的星際手錶乙只。

2 如預約一光年以上的星際之旅，就送價值五萬元的星際旅行箱乙只（見圖所示，實際尺寸以實物為準）

3 每一次旅行都可以累積星程，還有機會座艙升等，享受超值的禮遇。

《李欣頻的廣告四庫全書》之三：

廣告拜物教

作者　李欣頻
總編輯　龐君豪
責任編輯　歐陽瑩
封面設計　曾美華
排版　菩薩蠻數位文化有限公司

發行人　曾大福
出版　暖暖書屋文化事業股份有限公司
地址　231新北市新店區德正街27巷28號
電話　02—29106069
傳真　02—29129001

總經銷　聯合發行股份有限公司
地址　231新北市新店區寶橋路235巷6弄6號2樓
電話　02—29178022
傳真　02—29158614

印刷　成陽印刷股份有限公司
出版日期　2016年11月（初版一刷）
定價　380元

國家圖書館出版品預行編目(CIP)資料

廣告拜物教 / 李欣頻著. -- 初版. -- 新北市：暖暖書屋文化, 2016.11
152面；16.5×23公分. -- (李欣頻的廣告四庫全書；3)
ISBN 978-986-92424-0-0 (平裝)

1.廣告作品 2.廣告文案

497.9　　104022317